款 爷

唐文杰 · 著

长江出版传媒　长江文艺出版社

北京长江新世纪文化传媒有限公司
www.cjxinshiji.com
出品

《款爷》一书中所涉及北京当代俚语及黑话

1. 替：钱。

2. 替预（hān）：钱多。

3. 拍替：付钱的意思。

4. 托替：借钱或指给予某人强有力的经济后盾。

5. 瓢：穷。

6. 抖佘（cuán）儿：使阴谋，阴招儿。

7. 多咱：什么时候。

8. 递葛：意同叫板，冒犯，挑衅。

9. 青皮：无赖的意思，蛮横奸诈而自鸣得意的人。

10. 马逼：打架，玩儿命，常指恶性斗殴，或与某人翻脸。常用单字"马"。

11. 老炮儿：资格老到的人，不分年龄。

12. 处了……下：也称铆了……下，意为判了……年刑。

13. 搬大闸：盗窃，也称佛、小偷，盗窃犯称佛爷。

14. 绣：赢得，骗，如：绣款，绣蜜。

15. 喇：妓女。

16. 飒蜜：漂亮、风骚的女孩儿。

17. 挼（ruá）：窝囊，孬，不精明，不练达，如：挼人，挼西服等。

18. 瓷器：最好的朋友，也泛指相识的人。

19. 行头：特指体面华丽的衣着，有嘲讽的意思，喻指那些经济不宽裕的人在特殊场合才穿的衣着。

20. 灶：以惊人的速度或者数量消费，如：灶钱。

21. 牛逼：也称火，煽；不可一世的狂妄，也有吹牛的意思。

22. 壮面儿：提气，给自己提身份。

23. 砸窑儿：存恤，储存。窑儿也可单用。

24. 局气：仗义，地道。

25. 小母蛋儿的：无足挂齿的小辈。

26. 头份：最强的，最高的。

27. 撮火：生气。

目录 Contents

楔 子 厄 运

—

001

第一章 挣扎在底层

—

005

第二章 杀入商界

—

024

第三章 红粉知己

—

058

第四章 龙潜于渊

—

094

第五章 山重水复

—

121

第六章 食物链

—

169

第七章 飞龙在天

—

210

楔 子
一 厄 运

"肖潮龙，你为什么要退学？"中文系主任一脸愕然的样子。

"我母亲刚刚去世了，现在双亲都不在了，家里只剩下我和一个上高中的妹妹，我得担负起使这个家庭生存下去的责任，就这样。"肖潮龙的语气平静而又坚定。

"太不幸了，我对你的处境深表同情。"

"谢谢。"

"可你这样做等于是葬送你的前程，以你的才气，在我们中文系的学生里，无人可与你比肩。老师们都对你寄予厚望。"中文系主任的语调显得有些激动，"关于你家庭的境遇，你不要担心，学校会配合社会尽全力给予你帮助的。"

"不必了，也许我就不该上这个大学，如果我能早一点工作，母亲就不至于积劳成疾，过早离世。她是累病的，她是累死的！而我这个家中唯一的男子汉就那么眼睁睁看着自己的母亲撒手人寰而束手无策。她临终时那张憔悴的脸，我没齿难忘。她对我说的最后一句话是'照顾好妹妹'。"

片刻的沉寂后，潮龙继续说道："在大学这两年多时间里，蒙校方及各位师长栽培。教诲之恩，永生难忘。"说完，他深深地鞠了一躬，转身走出了房间。身后留下了一张系主任呆愣、怅然的脸。

就在肖潮龙的一只脚踏出校门的那一瞬间，他的头脑中陡然升腾起一种轰然坍塌的感觉。他庄严地意识到，他已为自己的一生做出了抉择！他不无惆怅地转过身，挂在门柱上的校牌在阳光下格外耀眼，上面四个大字赫然入目——北京大学。他曾拥有那个名字，以及那名字后的世界，但就在他踏出校门的那一刻，所有的这一切已成云烟。在这一天里，还将有无数双脚出入这个门口，对他们而言，这是个平常意义的一天，而对于此时此刻站在门口的肖潮龙而言，世界已发生了巨大的改变，生活的轨迹已发生了偏转，命运的列车驶出了原有的轨道，正载着一个 20 岁的年轻生命义无反顾地冲进风雨中！

在北京城东雅宝路地区，有一个艺华胡同，在 24 号院里，密密匝匝地住着几十户人家。这一片的住房均属那种历经几十年沧桑低矮陈旧、在市政建设规划中需要拆迁的那一类住房，只是因财政预算等问题，才无奈地在岁月的荏苒中继续苟延残喘。

进院门的左手边，有一个自来水管，那是维系全院生活的唯一水源。院中的住宅，有许多后天工程的增补建筑，使本来便已显得拥挤的院落更加错落无致。一条"丫"形的通道纵贯全院。沿着左边的通道一直走到头，顶住院墙，是两间不大的平房。右边稍小一点的是厨房，左边一间在拆除了原有的门辕，增补了 2 平方米空间后才凑成了 10 平方米的房屋。这儿，就是肖潮龙的家。

肖潮龙的父母是典型的劳动人民，家世背景平凡得无以立文。老肖生前是运输公司的司机，潮龙 5 岁那年，在一次出长途时，遇车祸身亡。当时，潮龙的妹妹潮汐出世没多久。一家三口的生活重担，一下落在了潮龙母亲、一个街道纸箱厂普通女工的肩上。残酷的生活现实使她以极大的毅力令自己从悲伤中摆脱出来。正像无数个坚强的中国母亲那样，她以坚韧而又勤劳的性格和那微薄的月薪支撑起了这个沉重的家。尽管这位母亲仅有一点可怜的来自于解放初期扫盲运动时所拥有的文化程度，但在她内心深处却笃信：清贫绝不应是每个家庭所拥有的最终归宿。她自己的一生已然无望了，她要让自己的一双儿女出人头地，彻底摆脱贫穷。正像大多数中国家庭对自己的儿女所阐述的那样，读书，受高等教育，是出人头地的唯一途径！她把这一意识深深地烙印在了潮龙兄妹最原始的人生观上。十几年来，正是这一强大的信念支撑着这位清寡的母亲含辛茹苦将儿女抚养大，并欣慰地看到，兄妹俩正像她所希望的那样逐步实现着她的愿望。与此同时，中国也发生了巨大的变化，改革开放的不断深入，使社会发生了一些质变。生活指标不断上扬。对于在效益并不很好的纸箱厂里拿低薪的母亲而言，生活变得越来越吃力了。正像无数次面对危机的态度那样，她采取了行动。于是，一家小型洗衣店里多了一个勤勉的洗衣工，街头卖报族的叫卖声中多了一个苍老的音符，饭店后门的垃圾车旁多了一个翻找废旧瓶罐的身影。继而，在潮汐一次为母亲洗衣时，从兜里翻出了一张卖血的单据。潮龙悲号着发誓要退学帮母亲挣钱，可怜的母亲以死相胁才打消了他的念头。在她看来，儿子的念头是一种罪恶深重的背叛。她苦挨一生，可以承受任何打击，唯一不能承受的就是孩子对她信念的背叛。她已经看见自己的儿子进入了赫赫有名的北京大学，她的女儿也已升入了高中，她几乎已看到了自己一生的希望了。如果说她还有一份奢望的话，那就是，她祈求上苍在她那过早苍老的生命中再注入一丝活力，让她能坚持到看见那希望的日子。但她终于崩溃了，她那孱弱的生命终于走到了极限。因过度的劳累，严重的肾炎夺去了她的生命。她给潮龙兄妹留下的是个依然贫困的家以及一张一千多元的账单。

肖潮汐是一个文静秀气的女孩儿，现在一重点中学读高一。家庭的困苦，过早地磨砺出了她成熟的性格，她对于灾难的承受能力，较之同龄女孩儿来说，显然要强出许多。但母亲的去世还是给她稚嫩的心灵一个不小的打击。在悲伤之余，她深感人生无常、艰险难测，一股淡淡的恐惧袭上心头。但只要她一看到哥哥脸上那种与母亲一样的镇定与坚韧时，她就会感到拥有一种安全与勇气。

潮龙体会到了妹妹的这种心情。此时，他看着潮汐在炉膛里添好一块煤，封好了盖儿，然后轻轻地说道："小汐，你坐过来，我有话要对你讲。"潮汐走到潮龙身边，在他身边的凳子上坐好，然后目光直视着哥哥。

"小汐，母亲离开了我们，同时也带走了生存的保障。这家里得有一个挣钱的人。我是哥哥，俗语说：长兄如父。在这一点上，我责无旁贷。我对你只有一个希望，我不想你的理想因此而发生改变。完成学业，成为你想成为的人。听明白了吗？"最后一句，潮龙的声音有些哽咽。

潮汐眼里噙着晶莹的泪花，重重地点了一下头。

第一章

一

挣扎在底层

北京朝阳区副食品公司茂源采购供应站，位于朝阳区红庙北里的一个楼群旁。这天上午，二楼的产品展销大厅里显得格外热闹，原来采购站正在办展销活动。客户们正流连于琳琅满目的展柜之间，不时地向几位业务主管询问着品种、规格、单价等产品信息。采购站经理杨力正忙着招待一些老业务关系。杨力，45岁，身材适中，穿一身儿得体的西服，显得精明干练。这时，他刚将一位客户分配给主管小食品的小梁。一转身，看见一个年轻人左顾右盼地走了过来，看样子，不是来谈生意的，杨力于是叫住了他。

"哎，小伙子，你找谁呀？"

"我是来找工作的，我刚才在劳务市场看到了你们的招工简章，你们不是需要装卸工吗？"

"对，可你来晚了，五个名额已经招满了。"

"如果有一个人能干三个人的活，却领一人的薪水，不是很好吗？"

"嗬，好大的口气，你叫什么名儿啊？"

"我叫肖潮龙。练过拳击，体能超好。"潮龙说着，做了个有力的手势。

杨力有些被打动了,他推开了一间小会议室的门,里边没有人:"来,到这儿来,咱们聊聊。"潮龙走进会议室,在一张椅子上坐好。

杨力给自己点上一支烟:"你以前是干什么的?"

"在北京大学读中文系。"

"是大学生?那怎么不继续学业?"

"我妈为了供我,积劳成疾辞世了。"

"你家里还有什么人?"

"只有一个上高中的妹妹。父亲早就亡故了。"

"所以你只好扔了学问来挣钱了?"杨力的口气中带着同情。

"是的。"

"这活很苦啊。"

"比两个人挨饿还苦吗?"

"你有求职证吗?"

"还没来得及办。"

"我收下你了。"

"谢谢,我不会让您失望的!"

杨力很快就感到了这小伙子的确没有让他失望。潮龙被分在了第三送货小组。每个小组配备一辆"加长130"货车,除了司机,按照驾驶室的座位安排两个装卸工。与潮龙同组的司机叫宋跃,26岁,活泼开朗。装卸搭档叫辛海,30岁,老成稳重,自然成了潮龙的师傅。因为采购站全部采用效益工资,装卸工也不例外,所以各组干起活来都相当卖命。潮龙所在的第三组,一直是全站八个小组中送货量冠军。按照通常的程序,送货小组每天早上一上班,从经理手里拿到送货发票后,径直到库房提货。采购站有两个库,一个在延静里,一个在西坝河,备齐后,送到各业务点。这一车一般一上午便能送完,即使拉点儿晚一般也不超过下午1点。午饭后再备一车,一下午便能送完了。但这里有个问题,即如果早上八个小组同时到库房备货,总有个先来后到。晚装上货的自然中午就得拉晚点儿。如果再碰上点儿远，就更慢了。所以各小组组长都想方设法跟发送货单的头儿套瓷，希望能给些距离近、密度集中的甜活儿；而这又跟跑点儿的业务员有关，如果送货组跟业务员倍儿瓷，经理在发送货单时也会考虑他们的友谊而适当照顾。为了能多拉快跑，各小组都使出浑身解数。潮龙的小组也不例外，除了跟业务员套瓷这招儿外，还得跟库房保管想方设法称兄道弟，从而使同来的其他伙伴在身后自动排队。通常是经常窑儿在兜里的好烟，以及下班后莫名其妙的饭局便能达此境界。组长辛海甚至想到了一条更快的捷径，那就是在每天迅速完成两车货后，赶下班前，从经理手中提前绣出第二天的送货单，到库房备好。等到第二天，其他组都在备货的时候，第三组的车已经奔驰在阳光明媚的大街上了。由此可知的工作量也是不言自明的。每一天备一车货少则三四十分钟，多则要一个多小时，比起卸货来，这绝对是每天必过的鬼门关。尽管潮龙向杨力夸下海口，但在最初的几天里，当他回到家时，潮汐看到的应当是一摊"泥"。但只要看到米缸里日渐减少的粮食，以及潮汐那因已免去的早餐而略显瘦削的脸庞，他就会咬牙站起来，披上母亲的旧制服棉袄，夹上潮汐为他备好的午饭饭盒，顶着冬日的寒风，迈进新一天的轮回。

年关将近，副食品市场例行旺销了起来，采购站的任务也显而易见地比往日沉重了。

这天，潮龙与宋跃先上了车，宋跃把车打着，等着检查货物是否捆绑好的辛海。这时，他们的业务员瓷器吴永林走了过来。他冲车外的辛海问道：

"哎，老辛，今儿你们这车是不是跑通县呀？"

"对呀。"

"我今儿去通县百货大楼结账，搭你们车得了。"

"哟。"

潮龙显然听出了这声"哟"的含义。驾驶室里除了司机只能坐两人，吴永林要搭车，能让他坐斗里吗？

"行，你来吧。"辛海还是答应了。随后他把头探进驾驶室抱歉地对潮龙说："兄弟，林子要搭车，你委屈委屈坐后边去吧。对不住啊。"

"没事。"潮龙爽快地答应了一声，跳出了司机楼子。

坐在车斗里的一个果珍箱子上，潮龙的确感到了委屈。随着车速的加快，他听到风声呼啸着从耳边掠过。他的身上不自觉地一阵阵打着冷战。他不时地用手使劲拽拽旧制服棉袄，但他仍感到它像筛子一样无法抵御寒风的刺骨。很快旧棉鞋里的双脚就已冻麻了，耳朵被冻得像是被夹子夹着似的疼，眼泪也不自觉地被冻得流了出来。潮龙把右手从袖管里抽了出来，揩去泪水，复又插好，任凭身子在呼啸的寒风中战栗。他不自觉地回了一下头，看到驾驶室里的三个人正兴高采烈地说笑着，他们此时是感觉不到被寒冷包围的滋味的。他咬了咬牙，扭回头来，然后微垂眼帘，望着这寒冷肃杀的世界，心中充满了失意。他忽然想起了北大，想起了他的那些同学们，他们此时正在温暖的教室里各抒己见吧！他们是否会为少了一个曾因雄辩而使他们失去发言机会的同窗感到遗憾呢？他们能想象他此时连落魄才子方鸿渐的境遇都不如吗？他又想到了母亲，记得在小时候，母亲带他外出时，总是用手绢将他那哪怕只流出一点点的鼻涕揩去，并不时地问他冷不冷。只要他打一个喷嚏，母亲就会翻箱倒柜地找药片，而现在，他只能自己照顾自己了。

"啊——嚏！"潮龙意识到自己终于感冒了。

39.5℃的高烧把肖潮汐吓坏了。她手忙脚乱地给哥哥做着冷敷，又神色慌张地跑到邻居家借药片。邻居们都来了。开的士的大奇刚回家便拉上潮龙上了医院，打了退烧针，开了药。直到把潮龙送进粮垛似的被窝里，邻居们方才离去。潮汐哭得像泪人一样，但她看到的却是一张憔悴、蜡黄的笑脸。

第二天是星期天，潮汐一觉醒来，发现在那粮垛似的被窝下的哥哥已不见了。在枕边，她拾起了那个仍带着体温的温度计，透过泪水，她看到上边显示的是38℃。

面对宋跃与辛海的疑问，潮龙回答了不下一百遍"没事"。由于今天的任务很重，大家很快进入了工作状态。

在强挺着装完一车货后，潮龙终于意识到自己不行了。在奔向第一个送货点左家庄的路上，他感到头晕目眩，宋跃与辛海之间的对话，在他听来像是来自另一个遥远的世界。

他终于倒在了一箱粉碎的"燕岭春"旁，他闻到了一股刺鼻的酒香，紧接着，他听到了宋跃与辛海焦虑的声音。

"我看他今天就不对劲儿嘛。"

"傻兄弟，逞什么能啊？你爸你妈都瞎了？这么着就让你出来了。"

"哎哟，这脑袋都烫熟了。"

"快把他扶屋里去吧。刘姐！我们这兄弟病晕了，先扶你们办公室床上躺着，给找点儿药，等我们把车上这货送完了，就把他拉回去。你可一定得好好照顾他，这兄弟可忒实在！"

潮龙感到自己躺在了床上，继而他听到辛海在他耳边说道："兄弟，踏踏实实跟这儿躺着，待会儿我们来接你回去。"

潮龙使劲睁了睁眼："辛哥，得累你一人儿了。"

"傻兄弟，别胡思乱想了，闭上眼睡吧，啊！"

…………

杨力把 135 元工资放在了潮龙面前，语重心长地说："小肖，我知道你不容易，那也不能这么玩儿命啊！真给自己累出个好歹来，那你连一分钱都挣不到了呀。我们站上研究了一下，不能再留你跟这儿干了，你这么不爱惜自己，弄出人命来，我们可担待不起呀。现在找工作有的是，用不着发愁，这是你的工资。你干了 19 天，每天 5 块，外带两块副食补助总共 133 块，再加两块卫生保健，135 块，考虑你生活上困难，摔碎的那箱燕岭春就不让你赔了。站上对你有什么不周的地儿，你多担待着点儿，今后多保重。"

雅宝路那间小屋终于得到了生存延续下去的有力保证，潮汐又恢复了早餐。当看到米缸里重新注满的粮食时，兄妹俩的脸上露出了自母亲去世后的第一次微笑！

光阴荏苒，一晃4年过去了，潮汐成了中央戏剧学院导演系的一名高才生。正如哥哥所言，她的生活、她的理想并没有随着母亲的去世而发生改变，她正逐步使自己成为自己想要成为的人。而她深知，所有这一切都有赖于为此付出了非凡代价的哥哥——24岁的肖潮龙。

4年里，潮龙从未停止过向那小屋注入生存活力的努力。从采购站出来后，他到糕点厂做过工人，到一家研究所的复印室做过复印机操作员，到一家医院职工食堂做过伙夫，到一家小型宾馆做过水暖工……而现在，他又迈入了嘉伦饭店，正是在这儿，确立了肖潮龙一生的奋斗方向。

其时，中国的形势发生了天翻地覆的变化。商品经济的狂潮席卷全国，旅游饭店正是在这种形势下如春笋涌出。它们成了富贵气派的化身，同时也成了拜金热潮中的麦加圣地。潮龙也成了朝圣中的一分子，尽管他将在这里从事最卑微、繁杂、肮脏的工作。

嘉伦饭店属于改革开放早期建成投入运营的涉外饭店。它是由北京和加拿大的友好城市多伦多的有关机构共同投资兴建，由日本航空公司及香港半岛酒店集团与北京方共同管理。

曾与潮龙母亲在街道纸箱厂共事的张阿姨，退休后补差进了这家饭店，她在咖啡厅的厨房做一些清洁打杂工作。在她的帮助下，潮龙来到了位于地下一层的客房部，报到上班了。

客房部的经理是一位30多岁的香港人，英文名字叫"亨特·郝"。客房部的人都亲切地称其亨特。

亨特此时看了一眼潮龙，慢条斯理地问道："我们饭店的纪律很严格啊，你能不能遵守啊？"

"这个我明白，我能做到。"

亨特转而直截了当："你可不可以上夜班？没有倒班的，长期夜班。"

"可以。"

"那么好吧，你晚上10点钟来，找客房部的夜班领班叶新，他会把工服发给你并且告诉你该干什么的。"

　　在饭店打工的临时工，分为两种，一种是退休来补差的大妈们，一种就是像潮龙这样的年轻人。临时工的职责在不同的部门有不同的分工。在餐饮部下属的各餐厅及厨房，临时工的职责是清洁工作，保持整洁的就餐环境，并把厨师及服务员们随手堆放、使用过的炊具、餐具及时清洗干净，再放到他们触手可及的地方。此外还有洗衣部、职工食堂等。潮龙属于公共厅堂，也是最累的部门。夜班的职责，就是趁夜间公共厅堂客人稀少的时候，完成一些大规模的清洁工作。诸如清洗厅堂及各餐厅全部的地毯，给所有的大理石地面打蜡上光，登高擦净天花板，及令所有的门窗干净得像是刚开业一样。

　　与潮龙同在夜班的 8 个同事，是清一色的老大妈，自然一些登梯爬高的技巧性悬活儿非他莫属了。

　　对于客房部而言，夜间 room service（客房服务）的工作量微乎其微。所以对于两个值夜班的客房服务员来说，他们更多的时候，是在客房部里，用睡眠及听随身听的方式，打发掉漫长而又无聊的夜晚。而对于夜班的临时工而言，情形就大不一样了。所以夜班领班叶新，在每晚的相当长一段时间里，要同他的非正式编制的部下们待在一起。

　　叶新把着一身上白下灰的卡面料工服的潮龙介绍给了他的 8 位战友。大妈们用微笑向这位即将使她们从一些棘手工作中摆脱出来的年轻救星表示了由衷的欢迎。潮龙还从叶新手里得到了一些五颜六色的餐券，这样至少他一天中有两顿饭可以不在未来的工资中报销。他明白，这是那些即将洒在镜子面似的地板上的汗水为他换来的。

　　叶新三言两语向大家介绍完了今晚的工作内容，然后嘱咐大家先去吃饭，便走出了休息间。原来每晚 10 点至 12 点间有一顿夜宵。

　　潮龙这时看到在房间里还有一个与自己年龄相仿的年轻小伙子。他此时一边从更衣柜里取着自己的便服，一边正同一个大妈争辩着。

　　"今儿风可真大，刮得人都睁不开眼。"一位杨大妈诉说着。

"别瞎说了，刚才我去后院倒垃圾的时候，一丝风都没有。"那小伙子说道。

"那会儿风正喘气呢。"潮龙兴致勃勃地凑了一句。

对话的两人都被逗乐了。那小伙子冲潮龙打着招呼："嘿，你好，哥们儿，是刚来的吧？"

"对，今儿第一天，我叫肖潮龙，你呢？"

"我叫楼刚，是中班的。"

"你该下班了吧？"

"对，吃了夜宵就走。怎么着，跟我一块儿去食堂吧？"

"行。"

在食堂里,两人都从对方咀嚼着三鲜馅儿饺子的嘴里了解到了各自的情况。原来俩人同龄，楼刚略小些。楼刚的父母都在大西北的核实验场工作，他跟奶奶在外交部街的寅乐胡同里住着。潮龙注意到，他们俩人的经历有着相似的地方。唯一一点明显的区别是，楼刚高中毕业后没能进入北大或者任何一所高等学府，尽管他曾为此做过两年的尝试。在潮龙于北大研究鲁迅、茅盾的两年时间里，楼刚正在一家小型电器维修部里，潜心学习如何使一些患了小毛病的电视、录音机什么的恢复娱乐功能。后来有一次，他令一台本来毛病不大的菲利浦彩电彻底不可救药了，在看到了彩电主人一张咆哮的怒脸后，他便无奈地走到了大街上，开始寻找他的下一个工作。嘉伦饭店是他第六个打工的地方，他比潮龙的资格仅老一个月。

几年的打工生涯，在两人的心底都淤积了许多难与人言的对世事沧桑的感慨。相似的经历，相同的对艰辛的切肤之感，使他们一下找到了宣泄的缺口，以至于在短短20分钟的用餐时间里，他们竟几度泪湿眼圈。直到叶新来通知潮龙上岗，俩人才依依惜别，并承诺有空将再诉衷肠。

潮龙很快胜任了夜间工作。由于他的勤勉，大妈们有了更多的时间坐在休息室里，用她们的大号茶缸，泡上从泛美航空、澳航、日航、美国运通等办公室里用吸尘器收获的精美袋茶。

　　潮龙从他的工作中更多地体会到了，作为一名身份卑微的打工仔，他必须无条件地向一切具有难度、危险、沉重，甚至无法独立完成的工作挑战。而这种素质，在那些坐在办公室里轻描淡写地布置工作的经理、领班们看来，是最平常而又微不足道的。

　　有一次，潮龙的工作是把嘉伦饭店大厅里的8根铜柱从底到上全部擦拭一遍。铜柱的高度在10米左右。叶新找来一部带万向轮的升降电梯。为做示范，他亲自上到电梯平台上，并使自己到达了铜柱与天花板的接触部位，而电梯的升降轴几乎到了极限。叶新站立的电梯平台左右摇摆了起来。潮龙看到叶新双手紧紧握住平台上的围栏，一动也不敢动，少顷，他按动电梯按钮使自己回到了地面。潮龙看到，他的脸都吓白了。

　　而肖潮龙，在这一夜里，要无数次地使自己到达那个高度，并且要完成各种各样的探身擦拭动作。他同样感到心惊胆战，但他别无选择！（据说那电梯曾倒过）

　　与危险的工作相比，潮龙宁愿完成一些繁重、枯燥的工作。他可以一晚上清洗完咖啡厅、西餐厅的全部地毯。如果时间允许的话，他甚至还要把地毯清洗机推到二楼的中餐厅。当来上早班的服务员们，看到一夜之间发生在地毯上的奇迹时，他们是意识不到一个用麻木的双腿支撑着疲劳的身子迎来黎明的临时工是怎样一种心情的。因为他的身份太卑微了，甚至连职工食堂的炊事员也可以瞧不起他。

　　那是一次完成了整夜劳作以后，潮龙拖着疲劳的身子来到食堂。早餐是每人一份夹几片火腿的小面包和粥。潮龙三口两口就把面包吃完了，他感觉没有饱，显而易见的是，在所有的用餐者中，他是最感到饥饿的，因为很多正式职工是用睡眠度过他那劳作的一夜的。这时，他看到一个漂亮的中餐厅领位小姐，很自然地在分发伙食的炊事员那猥琐谄媚的笑脸中一人取走了两份面包。潮龙受到了鼓舞，他也走了过去。

　　"搁下！谁让你拿两份儿的，小临时工。"他看到了一张写满了原则的脸。

他差点儿把那盘儿面包甩到那家伙脸上。但他忍住了,那家伙说得对,他穿的是临时工的工服,这身皮告诉他,他没资格去抢白。在许多双异样的目光中,他红着脸眼里噙着泪走出了食堂……

由于工作的关系,潮龙有很多机会出现在饭店的大厅里。在这豪华气派的场所,他能频繁地目睹一些身份高贵的人出入这里。他们中当然多是些金发碧眼的外国粉脸们,正像大多数中国人认为的那样,潮龙也习惯了接受他们的阔绰、富贵和一掷千金的形象。他们是理所当然的高消费族。他们出现在这样的环境里毫不奇怪。但终于有一天,当潮龙在这富贵的地方,看到了跟他一样,长着黄皮肤、黑眼睛,说着一口地道的京腔,却穿着昂贵的服装,带着一切富贵的表征,一出手连某些粉脸们都要为之咂舌的中国款爷的时候,他的心被深深地震撼了!

在经历了长达6个月连续夜间工作的洗礼后,由于一名新的临时工的补入,潮龙终于得以重见天日,他被调到了早班。具体工作是,负责使一楼商品部旁、西餐厅旁、二楼的中餐厅旁的三个客用公厕随时都要保持像未启用的厨房一样清洁。令他感到欣喜的是,楼刚此时也已调到了早班。相比之下,他的工作要体面一些,他负责给大厅内的一些装饰性植物适时地来一些雨露,以及象征性地做出一些使玻璃门窗及镜子正在得到清洁的样子。于是两个知音有了很多在一起交流辛酸的机会。花房的领班总是抱怨,楼刚去厕所给喷灌用的水壶注满一次水,总要耗费掉很长的时间,而楼刚的解释是,他最近正在闹肚子。

清洁客厕的工作显然比夜班的工作要轻松得多了,但却令潮龙感到了另一种自卑内容。在这三个空间里,他要令洗手池的平台经常性地保持滴水不沾;旁边墙上的洗手液容器永远保持饱满欲滴;洗手池上面的镜子,不能让客人们看到他们的另一张脸上有污痕;小便器及大便坐桶器的整个外表,洁净得要使人产生玉一般的遐思;旁边隔板上的卫生纸,要使客人认为富余得永远也使不完。他甚至要蹲在地上,用手握着小刷子,将客人们留在地面方砖缝隙中的足尘清洗掉。这就意味着,他经常要使自己的头部处于客人们的排便器官所置于的高度上，有时还要更低些。潮龙认为这是对他人格极具侮辱性的工作，但还有更不幸的，即在某些客人小便后，如果"忘了"冲掉它们，他将责无旁贷地去帮他们完成这项工作，因为这关系着饭店的形象。如果在他一天8小时的工作时间里，这些内容有一次未能达标，他就会看到亨特那张脸上像吃了一只苍蝇似的表情。就像站在那10米高的升降电梯平台上一样，他仍别无选择。多年来的谋生生涯使潮龙明白，为了生存，他就必须学会把自己的人格、自尊、虚荣全部扔到地上，给人家用脚踩，用唾沫啐，还要面无表情地去接受这一切！于是，他那高傲的灵魂只能看着他那"卑贱"的生命去给人家擦便器，给人家刷茅坑，给人家冲尿……直到有一天，他看到了一个京城款爷的豪华婚礼。他那高傲的灵魂才终于说服了他那"卑贱"的生命踢飞这悲剧的一切，去捡回他那属于自己的尊严！

　　五一节这天，天气晴朗，明媚的阳光，透过饭店的落地窗倾洒到了富于节日气氛的饭店大厅里。

　　潮龙像往日一样，正穿过大厅，奔赴他的岗位。他忽然感觉今天的气氛有些异样。大厅的四周，一切能够制造喜庆气氛的地方，都被布置得淋漓尽致。最醒目的要算是大厅中央连接二楼跑马廊的汉白玉楼梯，它身上史无前例地被披上了一层红彤彤的地毯，当中一个硕大的金黄色的双喜字格外耀眼。

　　潮龙正纳闷，楼刚提着一个喷水壶走了过来。

　　"嘿，潮龙，今儿咱们可有热闹瞧了。"

　　"这是怎么回事呀？"

　　"哟，你还不知道啊，连看车库的老头儿都知道了。有一大款今儿要跟这儿办喜事，把二楼餐厅都给包了，声称今儿所有进中餐厅吃饭的主儿全记他的账。你看这大厅，全是照这爷们儿的意思布置的。今儿我可苦了，比平时得多浇100盆儿花，那款爷说了，完了事这100盆儿花全归饭店。我的妈哟，他还不如全搬走呢，要不然我真成花儿匠了。"

　　潮龙这才注意到饭店门口里里外外，红地毯两侧梯墙边，二楼跑马廊整一圈儿,密布着各种各样绚丽的盆花儿,恐怕柬埔寨亲王来了,也未见得有这气氛。

潮龙感叹着:"这得花多少钱啊?"

"不知道,人家替顶呀。据说那新郎官是一巨款。得了潮龙,我得练活儿去了,咱回头见。"楼刚匆忙地去浇那 100 多盆花了。

上午 10 点,那豪华的婚礼拉开了序幕。

一列豪华的车队停在了饭店的门口,为首的是 10 辆梅赛德斯-奔驰 600。接下来是加长卡迪拉克,紧随其后的是一辆加长林肯还有北京街头凤毛麟角的法拉利等。最后面是两辆超豪华日野大面包车。所有的车辆全部披红挂彩。从礼宾车里,跳下来 10 名鼓乐手,每人一身中世纪武士般的装束,每人手里一把军号。他们首先整齐地跑入饭店,5 人一排分列门口的两边,随即,雄浑的婚礼进行曲开始响彻整个大厅。

在门卫的服务下,十几个穿着华丽西装笔挺的人从几辆豪华轿车内钻了出来。新郎是从那辆卡迪拉克中走出来的。他走到靠近饭店门口的一侧车门旁,此时门卫已将车门拉开,新郎一伸手,新娘也最后跨到了地面上。从最后两辆日野上下来的,是些新人们的三朋四眷,装束和举止有些逊色于前边几辆豪华轿车里的人。几个人纷纷鱼贯而入,连平时转门旁不常打开的边门此时也已全部洞开。尽管如此,转门也像安了电动机一样,频繁地转了十几圈后,才在最后一个客人的身影后渐渐平静了下来。此时饭店门口的马路边,已拥挤着数百名围观者。

在大厅正中,站在二楼跑马廊正对门口位置上的潮龙看到,一个饭店经理级的人连同餐饮部经理,向来宾表达了欢迎。他们从身后的迎宾小姐手里接过鲜花交到了新郎新娘手中。此时大厅里的气氛相当活跃,许多住店的外国人也都以惊奇的眼光注视着这豪华场景。10 名鼓乐手不厌其烦地将婚礼乐曲一遍遍地吹奏着。这时,突然从二楼跑马廊四周同时扔下无数密集的五彩缤纷的彩屑。场面蔚为壮观。许多老外情不自禁地鼓起掌来。此时在餐饮部经理的引领下,婚礼队伍开始向铺着红地毯的楼梯走来,潮龙这才越来越清晰地看到这对新人的脸。

　　新郎看上去有 30 多岁，面肤黝黑，脸上有一些较明显的皱褶，但却透出一种坚毅。个头中等，头发吹得非常整齐。他穿一身银灰色带隐条的笔挺西装，非常合体，面料看上去柔顺流畅，举手投足间在衣服上造成的皱褶线条像银蛇般在身上来回流窜。潮龙回想起在美国电影中的商贾政客身上，才能看到这样的着装效果。他还看到在新郎身边的那些从豪华轿车中走出来的人的穿戴风格与新郎毫无二致。新郎胸前打着一条红得非常得体的领带，上面还有些若隐若现的碎花纹图案。左胸襟上别着一朵红色的小花。他脚上蹬着一双黑亮的皮鞋，整个人身上带出一种无法掩饰的富贵气。这时，他用手搀了一下新娘的胳膊，一个金光灿灿的东西在他的手上闪耀了一下，潮龙看到那是一个戴在无名指上的大得有些离谱的戒指。他身边的新娘，更是一身珠光宝气，高绾的发髻上，罩着一个银质的发网，上边还别着一颗小巧精致的钻石头饰，淡而雅致的妆饰衬托出一张出水芙蓉般的俏脸。耳垂下的两颗金坠不时地跳动出动人的光泽。此时她的脸上浮现着幸福无比的微笑。令潮龙感到惊愕的是，她的双手上，除了大拇哥，全戴满了各种金光闪耀和镶着五颜六色钻石的戒指。新娘着一袭洁白的婚纱，长长的裙裾在红地毯上移动的样子，像一幅生动的流彩。潮龙木讷地看着眼前这一个以往在电影中才能看到的场面，以至于在大队人马进入餐厅后骤然给大厅带来的空旷，使他觉得本来颇显豪华气派的大厅此时是那么苍白而缺乏生动。此时乐手们已停止了演奏，突然静寂下来的气氛与那彩屑给大厅的地面造成的狼藉景象，令潮龙感到有一种被倾盆大雨暴淋了一顿的感觉。

　　楼刚不知何时来到了潮龙身边，轻轻地发出感慨："太火了，我都不敢相信刚才看到的是真的。"

　　潮龙也喃喃地说："是啊，咱们跟人家相比简直活得像蝼蚁一样呀。"

　　"我甚至都觉得像咱这样的人还活什么劲啊，就从这二楼上一头扎下去得了。就为他一念头，我就得跟碎催似的抱着这壶楼上楼下这通儿蹿，到现在还有 20 盆花儿没浇完呢，可他知道谁给他伺候这些花吗？"

"我何尝不是啊，人家进这中餐厅，是去消费，而我呢，有幸能进去是因为要洗地毯，还得趁晚上，夜里，没人的时候。"

"难道这就是命吗？活该人家该当款爷，活该我们就得当碎催。"

潮龙长嘘了一口气，幽幽地说道："不，这就是选择呀。"

中午12点的时候，楼刚来叫潮龙去食堂吃饭。潮龙仍沉浸在上午的遐思中，没有一点胃口。楼刚只好自己去食堂了。

潮龙此时待在中餐厅旁的客厕里，用抹布反复机械地在水池子的平台上擦拭着，思绪仍然无法平静。他想象着墙那边正举杯豪饮的喜宴样子，心里真是百感交集……

"咚"的一声，客厕的门被猛地推开了。潮龙转身一看，见一个醉得东倒西歪的人走了进来，竟是那个新郎。只见他进门刚走了两步，便身子一软，"扑通"一声倒在了地上。潮龙赶忙上前蹲下身去搀他。这时从新郎口中传出"咕噜噜"的声音。潮龙意识到他要吐，赶忙用力把他扶起，可新郎已经控制不住，"哇"的一口，呕吐物从他嘴里涌了出来，顺着腮边流到了他那名贵的西服上。潮龙连搀带架把他弄到了最近的一个坐桶格子间里，把他的头对准坐便器。那新郎便酣畅淋漓地吐了起来，许多还未消化的大虾块、海参等鱼贯喷出，登时一股腥臭直扑脑际，潮龙屏住呼吸，按动了水箱开关。

新郎终于停止了呕吐，他喘息着直起身子拍了拍潮龙的肩膀："谢谢你呀，兄弟。"

"没什么，你还是悠着点儿吧。"

"没事，今儿我结婚，高兴，瓷器们也劝得狠了点儿，吐吐就好了。"

新郎说着，注意到了自己胸前那一大摊污物。他把手伸进了西服里怀，掏出一沓儿还未启开银行封条的大钞来。潮龙注意到，全都是簇新的百元面值。新郎用小拇指挑开封条，随即用手抓了几张，在西服上擦了起来。潮龙惊呆了，赶紧把旁边隔板上的卫生纸撕下来一大团，递给新郎道："给你用这个擦吧。"新郎一边继续擦着，一边摇着头："我就用这个擦，用这个对得起我这身衣裳。"

紧接着，一个令潮龙目瞪口呆的场面出现了。新郎将擦过的弄脏的钞票顺手扔进了马桶，那浑然无事的样子，好像扔的不是钱，而是一团擦过鼻涕的纸。新郎又从那一沓钱里抽出几张继续擦着，之后又重演了一下那场面。直到他那身衣服达到了他满意的清洁效果。潮龙此时注意到，在那坐便器里的水面上，漂着15张揉皱了的被弄脏的纸币。新郎随手一按水箱开关，"哗"的一声，那15张钞票打着旋被冲进了下水道。潮龙只觉得脑神经都绷紧了，那是1500块钱呀！（按现在的通胀水平至少值万元以上。彼时中国社会的平均工资在60元左右。）

新郎此时注意到了潮龙的惊愕，他微微一笑："是不是觉得挺奇怪的？在我眼里这就是一些废纸，擦屁股都嫌丫硬……过去它踩着我，现在调一个。看见我这婚礼了吗？"

"嗯。"

"觉着怎么样？"

"够气派的。"

"知道我拍了多少替吗？"

"……"

"80个。"

"……"

"看我媳妇儿怎么样？"

"够飒的。"

"飒他妈屁！我拍了80个，丫不就卧我裆下了吗？兄弟！记住哥哥一句话，有钱，你就有一切……我今年32，我活到25岁那年，我才明白这理儿。"

"……"

"照说今儿我大喜，我得乐吧，可我他妈想哭！兄弟，今儿我是喝多了点儿，我也不拿你当外人儿，我有好些话想说，可这些话，他们现在没心思听。"新郎说到这儿，指了指墙那边，"我一瞅见你，也不知怎么想起我以前了。我说出来也许你都不信，你知道吗？这酒宴上所有的亲戚全是我媳妇儿她们家的，没一个是我的亲戚。不是我不孝，我多想让我爸我妈看看今儿这景啊！可我都不知道他们是谁，现在在哪儿？！"新郎说到这儿，眼睛里蒙上了一层水雾："我就知道是一老头儿把我捡回来的，可没等我学会找饭辙呢，老头儿就死了……我要过饭，跟澡堂子里给人搓过澡，蹬着三轮儿给人送过煤……后来我寻思着不对呀，这他妈老天爷，让我打小儿跟个小畜生似的滚这么大，不能叫我就这么活着吧，我他妈为什么就不能活得像个人样儿呢？兄弟你今年多大了？"

"24。"

"24。瞅你这样儿也挺机灵的，就那么踏实天天守着这茅坑儿挣钱啊……出去折腾啊，外边有的是钱等着你去挣呢。"

"咚"的一声，门又开了。新郎的两个朋友走了进来："嘿！牛子，怎么了这是？我们还都以为你掉坑儿里了呢！这么半天。"

"二林那儿叫板呢，又开了5瓶茅台，等着你去甀他呢。"

牛子被两个朋友拉到了门口，他突然转过身来，指着潮龙大声说道："兄弟，记住我一句话，有钱就有了一切！"

门"咚"的一声关上了，厕所里死一般地寂静。潮龙像泥塑一般立在原处，足足有20分钟没有动。他望着那坐便器里已恢复了平静的水面，那15张钞票打着旋冲下去的场面仿佛又清晰地出现在眼前。1500块钱对牛子来说意味着是废纸，而对于他呢？他在这家饭店已干了半年，而这半年薪水的总和，都超不过那冲下去的15张票儿。而他付出的代价呢？！是强抑着惊恐的心跳站在10米的高台上，在恐惧的摇摆中工作，听着下面的粉脸们玩笑地对他喊"fly, fly"（飞呀），是强撑着疲惫的身子若无其事地回答试探性的命令"好的，我没事，我这就去干"，是因为劳顿睡卧在岗位上而遭到申斥后，咬着牙回答"我错了，下不为例"。他又想起了母亲，他比牛子幸运的是他知道他有个母亲，并曾得到她无微不至的爱，可他没有牛子那样的富有使母亲在有生之年能够得到幸福，他甚至残忍地看着母亲因贫病劳作而终却无能为力。还有那至今未有能力归还的 1000 多块的账单。它沉重地压在母亲羸弱的身躯上，直到把她压垮。母亲是个多么坚强的人啊，在她的一生中，从未倒在命运为她设置的一个个灾难下，而她最终却倒在了 1000 多块钱下面！而她的儿子今天却眼睁睁地看着比那账单上的数字还要多的钱被轻飘飘地冲进了下水道！这是为什么呀？！潮龙悲怆地想着，心中涌起一种天塌地陷般的悲凉……

突然，一个炸雷般的声音在他的脑际中轰鸣着："就那么踏实天天守着这茅坑挣钱呀！出去折腾啊，外边有的是钱等着你去挣呢！"

他开始移动脚步，刚走过洗手池，门开了，进来了一个穿着整齐，戴着金丝边眼镜的中年人。从他身上的某种劲儿和那浓郁的香水味儿推断，潮龙觉得他不像是个中国人。

那人站在了小便池前。潮龙忽然奇怪地停住了脚步，微侧身，斜视着那人的背影，似乎预感那人将有什么不妥的举动。

果然，那人收拾完后，转身就要走，那黄澄澄的尿液将潮龙激怒了。他横跨一步挡住了那人的去路。

"那尼（什么）？"原来是个日本人。

潮龙表情严肃地用下巴冲着日本人刚工作过的地方扬了一下。

日本人扭头看了一下，满脸的不悦。潮龙立刻两眼一瞪。日本人显然吓了一跳，极不情愿地用手按动了排水扳手。

听着门在身后被关上了，潮龙心里油然升腾起一股半年来从未有过的畅快之情。他一屁股坐在了洗手池平台上，盘算着自己今后将何去何从。

几分钟后，亨特出现在潮龙的面前，身后跟着那个日本人。

亨特看上去又吃了一只苍蝇。

"刚才这位客人投诉你对他无礼。"

"我只不过是教教他做人的道理。"潮龙的口气中透出一种从未有过的傲慢。

"他是我们的客人，你就必须为他服务！"

"我只做我认为应该做的事情!"

"你必须马上向这位客人道歉!"

"绝不!!!"

"你被解雇了。"

"太棒了!亨特先生,你帮我下了决心!"潮龙说着,将须臾不离手的抹布狠狠地摔在了水池里。随后走到亨特面前,用手指着他的鼻子,字字铿锵地说道:"不过我要请你记住我的一句话,总有一天,我会以客人的身份入住你的饭店,并且要让你亲自为我冲尿!"说完,潮龙大步向门外走去,在经过日本人身边的时候,用膀子狠狠地撞了那家伙一下,日本人狼狈地贴在了墙上。

退掉了工服,领到了最后一次薪水,潮龙来找楼刚道别。

他把中午他跟牛子相遇的事对楼刚详细讲了一遍,最后他语调深沉地说道:"我们感到卑贱,我们感到屈辱,我们得不到尊重,这全是我们选择的结果,牛子也不是天生富有的,他也是从穷人堆里滚出来的。按他的话说,他曾像个畜生一样地活过。但在今天这个日子里,他比这个饭店里任何一个人活得都有尊严!他实现了人生的逆袭。而我们呢,我们同样悲催,可我们所做的不是感伤就是自怜,从未去试图考虑如何改变这一切!我们现在所做的,仅仅就是为了满足最简单的蝼蚁式生存。我受够了!我受够了别人对我的傲慢,我受够了为了那点可怜的臭汗钱去对别人唯唯诺诺,我受够了咽下屈辱还要强装笑脸。我今后要把命运握在自己手里!"

楼刚表情肃然地久久凝视着潮龙。良久,他低沉地问道:"你今后打算怎么办?"

潮龙望着窗外的天空,坚定地说道:"我决定去做买卖,只有拥有财富,才能使我们找回失落的一切,一切,一切。"

楼刚忽然激动地伸出右手:"潮龙,算我一个吧!"

"那你……"

"我也他妈不干了！咱哥儿俩一起出去闯吧！"

两个年轻人第一次穿着自己的衣服从嘉伦饭店的正门走了出来。

婚礼的豪华车队依然停在饭店的门口。

第二章

一
杀入商界

尽管楼刚已不是第一次跨进潮龙的家，但望着屋里简单洁净的陈设，他还是随口叹道："我们都是纯草根阶级呀。"潮龙一边把刚沏好的茶递给楼刚，一边说："是啊，但今后我们要改变这情况，成为中国的新兴资产阶级。"

"我们不会被打倒吧？"楼刚装腔。

"不会的，我们的祖国需要我们富足，以显示出它的强大。"

"那为了新中国！"楼刚举起茶杯。

"干杯！噢不，我们会被烫死的。"

两人笑着各呷了一口茶，随即在方桌两边坐好。他们把各自最后一次薪水放到了桌面上，总计 380 元。

潮龙说："好了，这是我们最后一次打工挣来的钱，再挣就要靠我们自己去蹚道儿了。一旦失手，就别再指望有人给我们开支了。我们也许会挨饿。"

楼刚说："这点我比你强，我父母每月都往家寄生活费。我奶奶也有退休金。可你还有个妹妹，她怎么办？"

"这几年打工，我刻意为她积攒了一笔钱，我全交给了她，要她自己安排生活。她平时住宿在学校，在一段时间里，她不用依靠我。"

"反正说什么都是假的，开弓没有回头箭！"

"对，破釜沉舟。"

"你说咱们从哪儿开始。"

"就从这儿开始。我早想好了，现在已是 5 月份儿了，天也开始热了，咱们去练汽水。现在练野摊的挺多的，眼睛贼点儿，躲着点儿工商的，我想还是成的。首先得想法弄一三轮儿。"

"这好办，我们家邻居二嘎子原来练菜有一三轮儿。后来给毁得够呛，后边轴老脱位，链子特爱掉，骑起来还倍儿沉，后来丫买辆新的，那老爷车，丫就给扔他们家后院儿了。我看咱俩给那车借过来将就着骑还凑合。"

"没问题吗？"

"太没问题了，我跟二嘎子是发小儿，小时候，丫穷得光屁股，我还送他裤子穿呢。"

"就这么办了，明儿咱开始动起来。今儿晚上你跟我这儿吃饭吧，尝尝我的手艺。"

"不，你还是跟我去我们家，我们家在寅乐胡同，离你这儿还倍儿近。你还没去过我们家呢，我跟我奶奶提过你好几回了，她也特想见见你，走吧，走吧。"

两人一起走出了艺华胡同。

在楼刚家吃完楼刚奶奶包的羊肉馅饺子，落实好了老爷车，两人相约第二天早上 7 点半从楼刚家出发。之后，潮龙一人逵逵达达穿过胡同，朝艺华胡同走去。

老远潮龙就看到 24 号院的门口围坐了许多同院的邻居，一边摇着扇子，一边正听一个人站在他们中间眉飞色舞地说着什么。走近一看，原来是高辉回来了。

　　高辉比潮龙小一岁，也住在 24 号院里，与潮龙是发小的好友。因为他从小在市体校武术队练就了一身好功夫，所以，当许多香港电影公司来到大陆拍功夫片、动作片后，他便像许多同行一样参加了影片的协拍及合拍工作，在影片中担当特技人及替身工作。由于常年在外景地拍片，所以在家的时候很少，潮龙与他见面的机会更是微乎其微。

　　潮龙此时猜测，他一定又在向同院的邻居们描述他在拍片中的一些趣闻及历险经历。当然了，他还会不失时机地给邻居们上一堂电影蒙太奇课，以及向他们炫耀，他的出色身手是如何得到成龙的武师们的称赞的。

　　高辉此时也已看到了潮龙，他高兴地冲潮龙打着招呼："嘿，潮龙，我刚才还去你们家找你呢，你们家锁着门呢。"

　　"啊，我刚去一哥们儿家吃饭了。"

　　"嘿，够您的，怎没人儿请我吃饭呀？"

　　"你到我那儿吃去呀，我请你，馊面饼卷臭葱。是你最爱吃的。"

　　"多咱呀？还我最爱吃的？完了，完了，咱哥儿俩这多年的友谊算是毁在这馊面饼上了。你知道我带着什么去找的你吗？香港曲奇饼啊，可我得到的是什么呢？太让我伤心了。"

　　"别哭，别哭，我错了，我给您重发一盆儿面好吗？"

　　邻居们全被逗得哈哈大笑，他们知道，这哥儿俩从小就跟活宝似的老逗嘴架。

　　"打住吧您，我发誓从此不吃面食了。"

　　"别价兄弟，听说今年小麦丰收，要是没你这饭桶帮忙，得给国家造成多大损失啊！"

　　"没关系，有你这利欲熏心的小人给国家出主意，非洲人民会感激我的。"

　　"你是不是暗示我有可能成为农业部长？"

　　"千万别，否则吃馊面饼的就不会是我一个人了。"

　　潮龙笑着赔不是："得了辉子，我可不想成为赃官污吏遗臭万年，还是用您的曲奇饼打开我们友谊的新篇章吧。"

"那么好吧，如果大奇家的小狗还没有把它吃光的话。"

"哎——哟，辉子！继你之后，我成了第二个对这种友谊感到绝望的人。"

"不过你别担心，我那儿还有台湾爆玉米花儿呢。"

"那你赶紧回去看看吧，大奇家的小狗能上房逮鸟儿。丫能耐大着呢。"

"潮龙，嘴下留点儿德，忘了我们家狗帮你淘米做饭的时候了。"恰巧此时大奇开着的回来了。

高辉夸张地睁大眼睛："潮龙！我真没想到你竟然堕落到这种地步。"

潮龙赶紧把高辉拉进了院奔自己家走去。

进了屋，高辉将曲奇饼往桌上一放，递给潮龙一支三五烟，两人点燃后，高辉很随便地仰靠在潮龙的被垛上。

潮龙问道："怎么样，辉子，又拍一什么片子？这回折了几根肋骨呀？"

"潮龙你盼我点好。这回肋骨倒没折，把脚给蹾了。当时我的镜头是站在波音飞机的顶上，我演一劫机犯。突然一颗正义的子弹击中了我的胸膛，我感觉到胸前的效果弹炸开以后，做一个中弹反应，然后一个前空翻摔在机翼上，再向机翼边上一滚，摔落尘埃，一组动作算是完成了。结果在我摔到机翼上的时候，我折大发了，右脚跟儿先触着机翼的，给我疼的，现在还没好利索呢。"

"这组动作，你死了几回呀？"

"一次完成，相当OK！"

"那波音飞机可不低呢，这你要折偏了，没摔在机翼上，那我今儿大概看到的就是肉饼而不是曲奇饼了吧。"

"那也没辙，想挣钱就得跳，再说那摄影机边儿上好几十口子看着你呢，你能装尿吗？干我们这行的，很多时候就是一咬牙一闭眼，爱谁谁。"

"总得穿点减震似的东西吧？"

"有一种护具，就跟美国橄榄球运动员穿的那种似的，但比那小，也薄，有时也挡不了多少用，照样摔得你嗓子眼儿发咸，脑子里转地球仪。"

"这么危险，你还干？"

"都干这么久了，想扔了从心里也不是那么愿意，经历了那么多生与死的考验后，我觉得我已经把生命都融了进去。当你专注一件事以后，你就会发现，你对它的热爱淡漠了你对它的恐惧，更何况，按照我的能力，我找不出第二个比这挣钱多的事了。"

潮龙打开那盒曲奇饼，掏出几块，扔了几块给躺在床上的高辉，自己也扔嘴里一块儿。高辉直起身子把那几块又送了回来："你吃吧，我那儿好几盒呢，拍片儿时，一香港朋友送的，丫玩摩托车特技在香港是大哥大。"

潮龙也不再劝："就你们干这行的，让我想起一词儿——'剃刀刃上的人生'。"

"没错，那种风险无常的滋味，就连那帮香港武师也不敢说每回都神静气安。跟我一块儿拍戏的有俩曾做过成龙的武师，他们告诉我轻易不接成龙的戏，成龙的动作片是全港最悬的，使人使得特狠，已经有俩武师给成龙当替身的时候摔死了。"

"安全措施那么没保障吗？"

"再有保障也追不上武指和动作编导的想象力呀。他们有时一到现场，随便看两眼建筑结构，就告诉你，把你从这房顶扔到那房顶，砸穿一玻璃顶棚，然后使威亚一牵你——威亚是一种细钢索，拴在腰上的，你就从另一边儿破窗而出了，这时有辆车从楼底下过，让你落在车顶上，点儿还得算得倍儿准，最后落地，中间有一个环节出错，你就有可能出意外。"

"像咱们大陆干这个的，有没有弄成重伤的？"

"岂止呀！我现在知道的，已经有仨摔成重残的了。全是颈椎摔坏了，全身瘫痪。"

"那摄制组得给一大笔赔偿金吧？"

"也就几千块就打发了。大陆武师的命不如香港武师的命值钱，人家有工会，还有巨额医疗保险，一旦残废了，后半辈子也不愁吃喝了，而大陆武师都有点像自发组织起来的，也没有系统的管理及善后保险措施，只能听天由命，各自珍重，出了事就自认倒霉。"

"你下部拍什么片子？"

"这部片子在北京拍，是香港嘉禾机构，也就是把李小龙、成龙捧红的那家公司投资的一部纯动作片，片名叫'约会死亡'。"

"听这名儿就够恐怖的。"

"哈哈，是吗？我们习惯了，没什么感觉，事实上这片子已拍了一段了。这几天有几场戏需要在北京实拍，这才班师京城的，现在拍摄工作搁浅了。"

"怎么了，是不是安全局怀疑你们以拍片为名搞恐怖活动？"

"哪儿呀，那还了得，是戏里有一动作难度太大，没人敢做。国内找了好几个特技队了，都没有人敢应活儿。几个香港来的特技人都是搞专业特技的，对那动作都不敢轻易染指，给香港导演急得不善，说再找几个特技队，实在没辙再回香港搬救兵。因为香港几个最著名的替身现在都上着戏呢，要请人家也得抽空，还得重金。"

"那动作那么恐怖呀？"

"嘿，那组动作，我们一帮哥儿们给起一代号叫'世界末日行动'。"

"噢，自杀呀！"

"我给你一说，你就知道怎么回事了。知道辉煌大厦吧，这组镜头就将在这儿完成。之所以选在这儿，就因为它是北京最高的建筑，能够体现惊险效果。剧情大意就是：在辉煌顶层的一个房间里，一名国际杀手与一名国际刑警，当然了他们都是中国人，正在搏斗。这时一架直升机前来接应杀手，就盘旋在这个房间的窗外。杀手看到后，一个纵身燕飞破窗而出，在空中，要像体操运动员扑向双杠一样，扑向直升机下面的支撑架横杆，握住了横杆，动作就算顺利完成。"

"握不住，就飞下去了。"

"对了。拍摄的时候是这样的，准备了两架直升机，一架入画是接应杀手的，另一架是在空中跟拍的，要把杀手从破窗而出到握住横杆的一系列空中动作全部摄录下来。当然了，要是杀手飞下去的话，摄影师也将很乐于把这个镜头贡献给吉尼斯世界纪录大全的。房间里的机器负责拍摄室内的全部动作一直到杀手飞撞出去为止。另外饭店下面，也就是地面还有一部机器遥拍，最后所有镜头一剪接，就是一组惊险镜头。保险措施呢，因为辉煌大厦的前面，也就是地面条件不理想，无法铺设占地面积很大的缓冲垫。另外特技在空中完成动作时不容易掌握自己的身体状态，还有风速的原因，那样高的位置，说邪乎一点，来股南风就着您那惯性，就能把跳楼的人吹到大北窑去。即便有缓冲垫，也不见得能准确地落在上面。所以一开始考虑用威亚，一头拴在特技身上，一头在房间里固定，一旦失手未能抓住直升机，也不至于掉下去，可是由于另一架直升机要在空中跟拍，近距离拍摄，很容易使威亚入画造成穿帮，所以这招儿行不通。最后决定用快速自动降落伞，有关专家进行了严格的数据测定，得出结论，如果从顶层的高度跃出后马上开启，也要等到距地面10米左右才能完全撑开，如果特技失手后由于惊恐迟误了开伞时间，那他就算自杀成功了。"

潮龙紧张得连气都透不过来了。

高辉看着他笑着说："所以你看，我们有必要为这疯狂的壮举冒险吗？这壮举在大陆开价5000块。"

潮龙用手拍了一下高辉的大腿："辉子，我真为你的前途担忧啊。我可不想有朝一日，看着你坐在轮椅里跟我打招呼。"

"得了，你先别为我担忧了，说说你吧，我听我妈说，你正在嘉伦饭店从事着天使般纯洁的工作。"

"可巧儿，我今儿刚辞了。"

"为什么？是不是那个环境使你的胃口越来越坏了？我说怎么拿馒面饼报复我呢。"

"你要再提这馒面饼的事，我就让你从我这屋里也来个破窗而出。尽管这看上去并不惊险，可我家这是3厘米厚的真玻璃，不是糖化的。"潮龙说着指向窗玻璃。

高辉连忙举起双手："别价哥哥，我可是回家放松神经来的。你接着说，为什么？"

潮龙一下严肃了起来："我问你辉子，你这么拼命工作，除了热爱它，还有什么因素？"

"当然是钱了。"

"对，你通常完成一组惊险动作，得到多少报酬？"

"不等，多的时候有一两本儿吧。"

"如果只给你200，你干吗？"

"那我会把钱接过来，然后问他：'您想让我提哪只箱子？'"

"可我这么多年来一直就是操老板的心，拿提箱子的报酬，我像个傻瓜一样让这种情况持续了4年多。我咀嚼得最多的字眼儿就是贫穷，它写在我母亲的脸上，写在我给别人的印象里，写在我的一日三餐里，这就是为什么你一张嘴是香港曲奇饼，而我一张嘴却是馊面饼的原因。因为我已经从骨子里把自己跟馊面饼似的东西归类了。但在我们生活的世界里，却另外有一些人花天酒地、一掷千金，坐在豪华的卡迪拉克里等着有人来拉门，然后听到一声亲切的问候：'您好，先生。''王侯将相宁有种乎？'这是两千年前，陈胜起义时说过的一句话。不错，我也想成为一个体面人，听着别人谦恭地对我说：'肖先生，我能为您做点什么？'我认为我并不比那些富人们蠢，格局决定位置，胆量决定高度！"

高辉静静地听着，他陷入了一种深邃的情感中，半天，他轻轻问了句："你想去做买卖？"

"对，哪怕用我自己的力量挣出一份窝头钱，对我来说，都是无比的荣耀，因为我终于可以对自己说：'我用不着再去仰人鼻息地生活了。'"

"潮龙，撒开欢折腾吧，死生有命，富贵在天！"

这是一个非常晴朗的天气。天安门城楼下及广场上，游人如织，到处弥漫着热闹的气氛。在位于天安门东侧长安街旁的 10 路公共汽车站边上，停着一辆破旧的三轮儿，上面摆着几箱汽水，三轮儿边上的地面上也摆着几箱汽水。潮龙同楼刚的第一个买卖便在这里开张了。

组织货物并没费什么大周折。他们首先在食品店里的汽水箱上找到了厂名，通过 114 查号台，他们很快出现在一家饮料厂里。尽管一个女厂长起先同"北冰洋"等名牌汽水厂家态度一样，拒绝为他们这样的无照经营者服务，但两张诚挚得几欲垂泪的脸和这家小厂缺乏竞争力的销路，终于使她放弃了原则。

在他们卖出了第一瓶汽水后，两只手激动地握在了一起，他们已成功地使他们的生意开始产生利润了。

第一箱汽水很快便即将告罄，他们的军挎包里已经有了一堆儿票子。尽管面额都不大，但他们的心里充满了喜悦。

这时有 4 个骑自行车的中年人停在了他们的摊前，下车后围住了两人。其中一个问道：

"汽水多少钱一瓶？"

"3 毛。"潮龙愉快地答着。

"谁让你们跟这儿卖的，推上车跟我们走，我们是工商的！"那人说着掏出一个工作证在潮龙眼前亮了一下。

两人都惊住了。楼刚一边拦阻着一个正在把地上的汽水箱往车上搬的工商人员，一边央求着："师傅，真对不起，我们是头一次跟这儿卖，您饶了我们这次吧。"

那人俩眼一瞪："你们俩理智点啊，踏踏实实蹬上车跟我们走，找不自在对你们没好处。"

哥儿俩无奈地对望了一眼，只好把所有的汽水箱在车上码放好。潮龙在前边骑，楼刚在后面推，随着 4 个工商人员向天安门蹬去。

一边蹬，潮龙还一边向那带头的赔着软话。但那人却一言不发，实在烦了就冲着潮龙嚷一句："你跟我解释什么都没用，待会儿到了午门工商所，有你发言的机会！"

老爷车越过了金水桥，在即将进入城门时，潮龙仰望了一下近在眼前的巨幅毛主席像，心中默默地祷告："毛主席啊，您老人家保佑我平安渡过此关吧！"

进了城门几十米远，在主道的左侧有一块空场，边上有一排房子，潮龙与楼刚将在这里解释他们犯下的愚蠢错误。

两人像犯人一样接受了严肃的讯问。

在讯问中，他们被告知，即使是最狡猾的野摊主也不敢在天安门一带活动，他们的行为简直是破天荒的壮举。

他们详细交代了姓名、年龄、出身背景及有无劣迹史，还有货源、进货单价、行为动机。很快，他们的罪状被一一列举了出来。

一、无照经营。

二、非法牟取暴利。（0.16 元进价，卖 0.30 元，比国营价格 0.25 元高出 0.05 元——20 世纪 80 年代的物价水平。）

三、在非经营地区从事商业活动。

讯问员做了笔录，在令两人过目认可后，他们生平第一次把他们的红彤彤的指纹留在了上面。

最后，他们那自然天成的善良与无知，使他们得到了宽容的惩罚。如果他们交纳 100 元罚金，他们就能够带着那车汽水安然通过金水桥离开这地方。如果他们还敢以身试法的话，可以继续去别的地方牟取暴利。

两人像遭到雷击一样，100 元！他们现在兜里全部的钱加上刚卖的一点流水，才 15 元！他们提出搬下两箱汽水来作为赔偿，遭到了严词拒绝。

楼刚开始了苦苦地哀求，没有人理睬。他们都被报纸上一则有趣的新闻，关于邻居家刚买的一套塞浦路斯进口的家具的话题吸引了。楼刚愤怒了，他抓住一个领导模样人的手，言辞激烈地说道："您让我到哪儿去弄这 100 块钱，我们现在全部的家当，就是兜里这 15 块钱，和你们门外那辆破车上的一切。

我们没有工作,唯一的生活保障就来自于那破车上的一切。我们现在甚至还没有挣到钱,100 块钱意味着我们至少可以解决 10 天的温饱。可您现在却让我们饿着肚子拿出 100 块钱来赎家当……"

没等他说完,他们便被轰了出来,并被告知,中午 12 点之前不来交罚金,那车汽水将被作为收缴物品被拉走。

两人焦虑地商量着办法。

楼刚说:"一定得把它赎出来。我去找哥儿们借,实在不行就找我奶奶。"

潮龙焦急地说:"现在已经 11 点半,只剩下半个小时了。你那帮哥儿们也不富裕,哪那么巧手头就有 100 块钱。找你奶奶就更不成了,这是我们自己的事,绝不能拖累家人,再说也来不及。"

"那怎么办呀?半个小时能打来回的朋友,你也找不到呀!"

潮龙急得汗都下来了,他忽然想起来母亲曾为贴补家用而去卖血!对,卖血!他连忙问道:"这儿附近有哪家医院?"

"干吗?"

"快说!"

"协和。"

"对!协和。听着楼刚,你就待在这儿,寸步不能离,我保证在很短时间里拿到钱,万一晚了点,你就是跪在地上把头磕出血来,也不能让他们把货拉走!"

"你放心吧!可你到底……"

没等楼刚把话问完,潮龙已像箭一样飞了出去。

协和?卖血!楼刚一下意识到了潮龙的意图:"我 × !你不能啊!潮龙。"他悲号一声,想去追赶潮龙,但他看见那熟悉的身影在城门下一晃便不见了。

此时潮龙已奔进了城门,他看见对面的天空迅速地在他的视野中扩大着。他一下撞进了阳光里,很快金水桥也被甩在了脚下,向东狂奔。他好像听到耳边有钟表在嘀嗒作响,同时有一个声音在他脑海里回响了起来:"快跑呀,朋友，你能意识到你正在拯救什么吗？你刚刚创立起来的事业已进入毁灭前的倒计时，你只有 30 分钟了！不对，现在已经没有 30 分钟了。你听到哀鸣了吗？那是死亡的征兆！在那可怕时刻到来的时候，他们会无情地把那车连那车上的一切装走。你的理想，你的信念也将随着那车被装走吗？在那可怕的时刻过后，你又将一文不名地站在大街上，会有人过来对你说：嘿朋友，要我来帮你一下吗？不，不会的。为了吃到下一顿饭，你又得去对别人说：给我个工作好吗？尽管他们并不知道你曾努力使自己永不再说这句话，即便知道了，看到你那狼狈相，他们也会认为你是个满脑子充满了愚蠢念头的人。那经历了无数次的噩梦又将重现眼前。不！绝不能那样！那你快跑啊！这里是哪儿？噢，是华龙街，再穿过一条胡同就到王府井了……噢，终于看到了协和的西门，怎么了？胸口太疼了，嗓子眼儿也直发咸。挺住了，笨蛋！你马上还得像个英雄一样把胳膊伸出去！"

潮龙一头冲进了协和医院，血库的大夫被他的语无伦次的恳求感动了，她们令他迅速地得到了钱，并用惊奇与同情的目光将他送上了狂奔的归程。

他听到那个声音又回响了起来："好了，钱已经到手了，现在要做的就是赶在那毁灭时刻到来之前把手里这钱交到那些人手里……现在几点了？不知道！楼刚啊，你千万不能让我们失去那车货呀！你知道我已拿到钱了吗？他妈的，腿怎么挪不动了。快跑啊，也许现在已经过了那时刻了，楼刚已经无法再阻止他们了，那车汽水已经开始往另一辆车上装了！他们就要开走了！快跑！去叫他们停下来……噢，终于又看到毛主席像了，毛主席，都说您是大救星！现在正有两个人面临着灾难，您能来救我们吗？啊，我看不见你了。冲过这最后的一段黑暗，看见了，终于看见我的汽水了，它们还在那儿！没被拉走，我得救了，我的事业得救了！！！"

…………

潮龙一头扑在了三轮儿上，他脸色惨白，大口地喘着气，手里紧紧地攥着一张 100 元的罚款收据。

楼刚双手扶着潮龙的双肩，泪如雨下："潮龙，现在是十二点一刻，他们没把货拉走，他们是吓唬我们的。"

毛主席像前，金水桥上，游客们看到了一个奇异的场面，一个年轻人费力地蹬着一辆三轮儿车，车上驮着两层汽水箱，在那上面，卧着另一个年轻人……

"护照和机票放在西服内袋里了，这样你能随时找到它们。"李殊对正对着镜子整理发型的哥哥李特说着。

"我说好妹妹，您为什么总试图要扮演母亲的角色呢？不要忘了我是你哥哥以及胜券电脑公司的前总裁。"李特有些不满地说着。

"那有什么了不起的，谁叫你平时总丢三落四的。我这是为你好，我甚至担心你会不会忘了在启德机场下飞机而被菲律宾航空拉到马尼拉去呢。"

"嘿。"李特无奈地苦笑了一下，"怎么我在你眼里总跟白痴似的那么可笑。就算我有那么蠢，我想爸也会设法关闭启德机场来寻找我的。"

"歇菜吧你，你以为他是谁呀？香港总督啊？"

"那我就索性在马尼拉待两天，说不定还能赶上他老人家的客轮返航维多利亚港把我捎回去呢。"

"你别气我啦，爸那几亿财富的王国可不能指望你这样的废物儿子去继承。"

"得了李殊，你也别担心了，我干脆就一直站在机舱门口得了，反正一站就是香港，门一开我就蹦下去。"

"那更糟了，菲律宾空姐非怀疑你是劫机犯不可。"

"我说，干脆咱俩换换，你去得了，我不走了。"

"行了，行了，别逗了。到首都机场还几十分钟的路呢，提好那只箱子，咱快走吧。"李殊说着挎好自己的坤包，拉开门，待李特提着一只行李箱走出房门后，将门锁好。兄妹俩下了楼，走出了他们的寓所——亚运村汇园公寓 A 座 208 室。

来到大街上，他们扬手拦住了一辆的士，李特冲司机说了句"首都机场"，随后在司机的协助下将那只箱子在后备箱里放好，兄妹俩先后钻进了车里。车一溜烟开了出去，很快越过了安慧桥，在安贞桥下向左一转上了三环路向着首都机场方向驶去。

李殊的父亲李元起早年曾是北京一家中央直属机关的会计，他的妻子周涵，也就是李特兄妹的母亲，是北京市工商局的一名统计员。原本只是一个非常平凡的家庭，但李元起却有着特殊的身世。

李元起的父亲李宏元，曾是新中国成立之前北京一个殷富家族的族长，家财万贯，先后娶过六房妻室姨太。有八个儿女，第一个和第八个孩子是儿子。这行八的儿子便是李元起。他是李宏元与六姨太玉涓所生。玉涓本是京城戏班名伶。1949 年，李宏元携家带小逃往香港，所有亲眷中，只有玉涓不愿随行。她的坚决令李宏元感到无奈。于是，李元起便随母亲留在了北京。

娘儿俩得到了政府的妥善安置，从此李元起与父亲断了音信，天各一方。玉涓看着儿子娶妻生儿育女，生活倒也过得祥和安定，后因病较早地离开了人世。李元起一家四口继续着他们平凡的生活。

1966 年，文化大革命开始了。李元起因是资产阶级后代并且至今拥有来自资本主义世界的海外关系，他被打成了特务、"黑五类"，卷进了这场惨烈的浩劫之中。

周而复始的精神折磨与肉体摧残，终于使李元起忍无可忍，他决定偷渡香港去投奔父亲。在一个月黑风高的夜晚，他与妻子及年幼的儿女洒泪而别，随后乘上了一列南下的货车，逃到了广东，跳下了深圳河，在边防军的弹雨中九死一生地逃到了香港。

在香港警署的协助下，他终于找到了父亲李宏元。此时的李宏元已是风烛残年。由于几房妻室及李元起的兄姐们的任意挥霍，无为，致使李宏元家道中落，在经营的生意中，仅剩下一家中型的百货公司。

年富力强的李元起很快接管了家族生意。经过艰苦卓绝的努力，李氏家业终于东山再起。李宏元欣慰地看着自己最小的儿子重振了家业，最后含笑离世。

经过二十多年的苦心经营，李元起已建成了一个跨金融、房地产、百货、航运等庞大生意的价值几亿美元财富的王国。

大陆改革开放以后，李元起回归故土北京，想将家人接到香港。但此时，妻子周涵早已改嫁，与一位普通工人相濡以沫了二十几年，虽无续后，但也感情笃深。李特与李殊，因念及母亲与后父年事已高，也不愿随生父而去。李元起无奈，为他们在亚运村汇园公寓买了房。但周涵夫妇执意不愿接受任何馈赠，李元起苦心表白，最后，李特、李殊便住进了那幢公寓。

此时，李特是中科院计算机所的一名研究生。李殊从中央工艺美院服装系毕业后在中国服装研究设计中心任设计师。李元起问起儿女需要何帮助，李特提出想自己创立一家电脑公司。李元起慨然应允。凭着父亲1000万港币的投资，李特建立了自己的胜券电脑公司，数年的经营，成绩斐然。而李殊却拒绝了父亲的帮助，希望自创事业。

两年后，周涵夫妇相继病逝。李元起再度向儿女发出请求，并诚恳表示，自己已近暮年，庞大的家业需要后代掌管。于是李特决定卖掉自己的胜券电脑公司，投入父亲的经营王国。李殊却仍然不愿离开故土，所以兄妹只好各奔前程，李殊成了汇园公寓那幢房间的主人。

在首都机场国际港的入港处，兄妹俩正进行最后的道别。

李殊有些戏谑地对李特说："祝贺你李特先生，当你走下飞机的舷梯踏上那块土地的时候，你已经是一名亿万富翁了。"

李特有些惆怅地说："真有点恍若隔世的感觉。李殊，你真的就那么不愿意加入家族的事业吗？"

"我不想接受唾手可得的东西。我想要的东西，我会自己去争取。不过哥，你别误会，我不是说你坐享其成，你是我们李家唯一的男丁，如今爸年事已高，支撑、发展家业是你的责任。你可别当败家子啊。"李殊说着咯咯笑了起来。

"唉！"李特叹了口气，"真是人各有志啊，不过我要你答应我一件事，一旦将来我把家业发展到了大得力不从心的时候，你可一定得来帮我，否则你就是败家子。"

"哎哟，飞机还没上呢，这口气儿都吹到香港了，不知道几个小时以后，会有多少不幸的香港商人已经注定了他们数年后将要跳楼的命运。"

"你这鬼头。"李特亲昵地在李殊头上拍了一下。

"放心吧哥，等你不行的时候，我会去救你的。你快进去吧，你现在的身份还没有大到让国际航班等你的地步。"李殊说着将李特推进了闸门口。

走出首都机场的大厅，李殊随手拦了辆的士，道明返回汇园公寓。的士便沿着机场路向城内驶去。

和平街北口是位于和平里北侧与北三环路交接处的一个十字路口。这里是北三环路上的一个重要的交通枢纽，每天都有大量的车辆在这里川流不息，许多上下班的北京人都要在此转乘车辆，一早一晚是两个高峰期。在路口的东南侧是13路公共汽车总站，是许多乘客的集散地，尤其在上下班时间，有时能造成人如潮涌的局面。基于此点，这里成了做小买卖的风水宝地。在车站附近有五六个烟摊，在烟摊对过，也就是中国电影家协会及《大众电影》编辑部这一侧的马路边上，有三四个水果摊，另外在靠近十字路口的地界还有一个西瓜摊。这些摊位，或有照或无照，每日里操作于斯，倒也相安无事，而在5月里的这一天，摊主们发现在他们的旁边多了一个新行当——汽水摊。练摊的两个小伙子正是肖潮龙和楼刚。

天安门失手以后，两人仔细分析了一下形势，无照经营必须远离市区中心的繁华场所才能免予落入工商检查的法网。远离市区而又有消费市场的地方，只能是一些交通要道口。这时楼刚想起他的一个同学住在和平街北口三环路边上的化工学院宿舍，两人一商量，认为和平街北口这地方不错，一来人多，二来楼刚那位同学住家下面有一个车库，晚上可以把那辆老爷三轮儿存到车库里。

至于汽水箱子，如果那位同学每天能喝上几瓶免费汽水的话，他将很乐于为那些箱子找到存放处，或许他的父母还会认为，他们的儿子在发够了低薪的牢骚后，终于给自己找到了第二职业。一切都照设计的那样变成了现实，为了加快销售速度，他们还到制冰厂买了一块人造冰。于是，一个很像样的汽水摊又宣布开张了。

加上冰镇以后，汽水的价格很自然地抬到了4毛。如果午门工商所的那些人知道了这一情况后，估计他们是会给他们的和平里工商所的同行们打电话的，因为这俩臭小子在"牟取暴利"这方面，显然已开始升级了。

天气已显得很热了，干渴的喉咙提醒着每一位路过这个摊位的人留下4毛钱从而使他们得到片刻的欢愉。他们的生意好得几乎使水果摊的摊主们开始考虑改行了。到傍晚的时候，他们已卖完了14箱，再卖完一箱，他们就可以收工回家点钞票去了。第一天的成功，无疑鼓舞了他们。但就在这时，出现了他们的竞争者。

楼刚刚把最后一箱汽水搬上三轮儿，便看到对过13路汽车站边上，又来了一辆卖汽水的三轮儿车。他示意潮龙向对面看，潮龙也已注意到了。

对过的三轮儿旁，站着四个小痞子。一个是小瘪脸，一个打着赤膊，第三个留着一个古利特式的长发，最后一个穿着件黑背心。

两个摊位相隔一条马路正对着。此时仍有大量下班的人群路过此地，但很快竞争便出现了分晓，在潮龙这边围着好几个喝汽水的人的同时，那哥四个的摊却无人问津。道理很明显，他们只用了一个大盆对汽水进行水镇。此时，四个人一边喝着啤酒，一边开始有些愤愤然地盯着潮龙这边的热闹场景。在经历了第三次竞争冷场后，四个人有些沉不住气了。

这边潮龙刚把一瓶汽水递给一个买主，就看到那个小瘪脸，晃晃悠悠地走了过来。

这小子眉毛一高一低地挑着，站到了潮龙的身边。他顺手从冰块上取过一瓶汽水，将瓶盖在上下牙之间一磕，启掉了瓶盖，然后双眼乜斜着潮龙，将瓶嘴塞进嘴里，"咕咚"一口喝掉了半瓶，耸着鼻子咽了一口气，撇着嘴问道："瓷器你哪儿的呀？"

潮龙没言声，用手来回拨弄着冰块上的汽水瓶子，眼睛也不看那小子。

"大爷问你丫话呢！"

"汽水4毛一瓶。"潮龙平静地回了一句。

"我×！递葛你丫的！""噗"地一下，剩下的半瓶汽水全泼到了潮龙的脸上，潮龙一下愣住了。楼刚此时也一下绷紧了表情，轻轻向潮龙身边靠了一步。一个刚喝完汽水的人赶紧付了钱走开了。几个正要买汽水的人一看这架势，也都匆匆闪了。

潮龙此时注意到冰块上只剩最后六瓶汽水了。他努力使自己稳了稳神，轻轻说了一句："你喝完了，掏钱吧。"

"你丫够青皮的呀！孙子！"干瘪脸显然被这不懂事的小子气坏了。他一抬手臂，将手中的空瓶子狠狠地摔在了地上，继而抬右脚抵在冰决上使劲一蹬，"嗵"的一声，冰块从三轮车上滑落，重重地摔在地上，裂成了两半，上面的汽水瓶"丁零当啷"瓺了一地。

潮龙只觉得头脑中像是炸响了一个惊雷。他亲眼看到自己用鲜血换回来的家当，被人随便地毁成了一片狼藉。他过去忍屈含辱是因为他要从人家那里去拿工钱，而现在他不想求人了，他能自立了。他再度感觉在工商那里蒙辱，是因为他无知，而眼前这个浑蛋，他凭什么，要砸掉他赖以生存的饭碗！潮龙只觉得一股热潮像爆炸的核能般直冲他的脑际，瞬间又化成一股强劲的电流，愤怒地纵贯了他的全身。

"呀！"伴着一声几近兽性般的怒吼，一记凶狠的右直拳重重地砸在了那张正弥漫着得意的小脸儿上。像是一个正活蹦乱跳的牵线木偶忽然断了牵引，干瘪脸几乎呈半离地状态，迅速地向后栽去，"扑通"一声窝在了三轮儿旁的树脚下。

潮龙像一头暴怒的狂狮般蹿过去，抬起双脚，左右开弓，朝着那张小脸儿猛踢了起来。

与此同时，马路对过的三个家伙像一阵风般卷了过来。"赤膊"双手里各攥着一块儿板儿砖，"古利特"手里拎着两瓶还没启盖的北京白牌啤，"黑背心"手里不知何时抄出了一把一尺长的藏刀。

街上的行人一下子退出了几十米远。七八米宽的街面上立刻成了一个战场。楼刚此时也已急红了眼，早从卖完的汽水箱子里抄出两个空瓶，磕掉了瓶底，怒吼一声，迎着三个痞子冲了上去。对着先到跟前的"古利特"就是一个直刺。"古利特"向后一跳，闪了一下，俩人比画了起来。潮龙此时也不得不放弃了已变得口眼歪斜的干瘪脸，冲着"赤膊"迎了上去。

潮龙曾是北大拳击队的队长，在高校联赛上，曾获得过无差别级冠军。他最骄人的战绩是在与一名比自己体重多15公斤的对手的比赛中，令对手多次被读秒，并且比赛间的休息时，那可怜的大块头全是在盥洗室度过的，因为从他鼻子里流出血来的样子实在与开着的水龙头只有颜色上的区别。后来那可怜的家伙再也没碰过拳套，据说他的毕业论文是谈论关于拳击运动与绅士风度的辩证关系。

此时潮龙一个侧闪躲过了"赤膊"劈面砸来的一板儿砖，旋即一个闪电般的刺拳，正中"赤膊"的右眼，那迅捷而又规范的出拳，可与休格·雷依·伦纳德媲美。"赤膊"的右眼立马就封了。仅半秒的停顿，潮龙又是一串左右直拳接左摆拳的组合拳，尤其是最后一记左摆拳狠狠地打在了"赤膊"的右脸颊上，登时一股殷红的血柱从他的鼻腔里被震了出来。"赤膊"摇摇欲倒，潮龙又是一记右手重拳，直砸在"赤膊"的面门。"赤膊"仰面朝天像京剧武生的摔僵尸一样直挺挺地倒了下去。潮龙疯了一样地扑上去骑在"赤膊"的身上，挥拳便打。一拳、两拳，第三拳刚举起来，"咚"的一声，潮龙的头顶重重地挨了一啤酒瓶。他立刻觉得眼前一黑，一股热乎乎的东西爬到了脸上，他的头刚往下一沉，右肋上又挨了重重一脚，身子不由自主向左侧倒了过去，登时一股剧痛弥漫了胸腔，像是五脏被踢翻了个似的。他本能地用双手抱住了头，拼命地在地上滚动了起来。"古利特"举起一个酒瓶，朝着滚动中的潮龙的头部使劲摔了下去。"啪"，酒瓶几乎是贴着潮龙的头部在地面上炸开了。啤酒沫带着玻璃碴崩了潮龙一脸。

楼刚此时已被"黑背心"的藏刀在手臂上剐开了几个小口子，胸前的衬衫也被挑开了一条，胸前已透出了一块血迹。此时，他猛地躲开"黑背心"兜心扎来的一刀，眼见潮龙有险，扭转身，像冲刺一样，双手握住一个露着尖碴的瓶子，直扑"古利特"的后身。"噗！""啊！"随着一声惨叫，那瓶子像一个无与伦比的注射器一般狠狠地戳进了"古利特"的左臀中。"古利特"一头栽倒在地上。

此时潮龙正艰难地从地上跪起，地面上的石子开始逐渐地清晰起来，待他视力彻底恢复后，抬头看到的第一件事，就是一把寒光闪闪的藏刀，迎着他的脸直刺过来。他想躲，但歪一下头的力气都没有。突然，他感到似一朵浓重的黑云，向他头部直盖了下来。楼刚像足球守门员的鱼跃救球一般横在了潮龙的脸前。"噗！"藏刀直刺入楼刚的腹部，紧接着，由于楼刚扑跃时的身体惯性，刀子又在他的腹部走了一条三寸长的口子。就在刀子从楼刚的腹部被拔出来的一刹那，一团白花花血糊糊的东西流了出来。楼刚无力而又低沉地悲吟了一声，摔在了地上。

潮龙清楚地听到了刀子撕裂皮肉的声音。他的神志由于极度的愤怒骤然间变得清醒无比。他噌地从地上蹿了起来，凭感觉他已测到了眼前站立者的位置，还未立稳，一阵暴风骤雨般的组合勾拳已经落在了"黑背心"的胸、腹、肋、太阳穴、下巴上。"咔嚓"一声，那是下巴断裂的声音，接着从黑背心的嘴里吐出了一个带血的肉块——咬断的舌尖。"啊……"他惨叫一声，最后一个倒在了地上。

一阵刺鼻的血腥味直冲潮龙的鼻子。他扭头一看，见楼刚仰躺在地上，面如白纸，身下已流了一洼血，肠子几乎流到了地上。他一下被眼前的惨象惊呆了，但只一秒钟，他猛醒过来，单膝跪下，迅速用双手捏住胸前衬衫的门襟，用力向两边一扯，衬衫扣四下蹦飞。他麻利地脱下衬衫，搓成一根粗绳，搭在脖子上，然后小心地用手捧起楼刚的肠子从腹部的刀口处又塞了回去，用左手挤住伤口，刹那间左手便染红了。他的右手迅速从脖子上取下粗绳，从楼刚的身下掏过去，挤住伤口，然后在胯部上狠狠地勒了个结。

轰隆一声闷雷，天不知何时阴了下来，眼看一场雷阵雨就要倾泻下来。围观的人群霎时一哄而散，四处狂奔。那四个小痞子此时也都挣扎着爬了起来，互相搀扶着，三轮儿也不要了，踉踉跄跄地向南跑去。

潮龙此时将三轮儿拉下了马路牙子，雨点已经噼里啪啦地下了起来。他费劲地把楼刚抱到了三轮儿上，四下焦急地望着。他心急如焚，怎么也想不出附近有哪家医院。雨已经大了起来，街上的行人都四散奔跑着，没有人过来理会他此时的处境。潮龙感觉像一下子置身于无人的荒野，他感到头上仍有血在流，楼刚的腹部已被血染红了，一种孤立无助的恐惧感油然而生。急迫中，他只好拉起三轮儿向三环路上的十字路口急奔，因为在那儿，他能有很多拦到车的机会。他只剩下一个想法，拦一辆车，奔医院！

此时雨已倾盆而下，楼刚躺在车上，双手紧紧挤住伤口，但血水仍不停地和着雨水流淌着。

到了三环路上，潮龙把三轮儿靠路边停好，便开始向前后左右过往的车辆招手。此时，他自己头上的伤口还在流血，雨水把他沾满鲜血的脸冲刷得像花脸一样。也许是他的形象太可怖，赤膊、满是血污的脸，所以一连几辆车都未停，从他身边冲了过去。

李殊乘坐的的士在开到北三环路的国际展览中心路段的时候，天上响了声闷雷。她不禁唠叨了一声："哟，要下雨了。"司机安慰了她一句："反正快到了，我把你停在家门口，保证淋不着你。"在开过了西坝河小区后，雨终于倾盆而下，司机打开了雨刷和车灯，因为此时天已渐渐黑了下来。的士在暴雨中疾驶，很快，前面就是和平街北口了。

一连几辆车都未停，潮龙愤怒了。他回头看了眼车上的楼刚，因失血过多，他已显得软弱无力，手已从腹部滑了下来。他在雨中暴淋着，血水已从三轮儿上被雨冲到了地上，汇成了一股红流。再截不到车，他就有生命危险了！

潮龙此时的神志已因焦虑和急迫亢奋到了极点，他已经不能再束手无策了！

这时他猛回头，发现三环路上，自东向西正有一辆的士开来。此时天已彻底黑了下来，耀眼的车灯透过雨雾打出两条长长的光柱。绝不能再放它过去！潮龙像疯了一样，转身握住三轮儿的车把，推起来，迎着那车灯狂奔了过去。很快他便奔到了西行方向的快行道上，他把三轮儿往路边一推，用双臂奋力将楼刚抱起，蹒跚地走到快行道的中央，迎着飞速逼近的车灯光，像雕塑一样地伫立在风雨中！

李殊与司机此时都已看到了前面路上站立着一个抱着血人的赤膊者，暴雨疯狂地倾泻在他们身上。但那站立者却一动不动。由于他们出现得太突然了，以至于车里的两人刚发现他们，车就快驶到他们身边了。没等李殊的惊叫刹住音，司机已经一脚急刹使车在距离那暴雨中纹丝不动的站立者不到一米的地方停了下来。司机刚把车窗摇下一条缝，想问问怎么回事，没等他话出口，李殊与他同时听到一个声嘶力竭的震吼：

"他的肠子在流……啊……"

车里的两人一下都被吼愣了，李殊情不自禁地浑身打了个激灵，像听到了一声炸雷。

紧接着那小伙子跟跄地抱着怀中人跌倒在司机一侧的车门旁。李殊看到了一张因极度悲愤已显得有些扭曲的布满血污的脸，这次从这张脸上的嘴里传出的是一声嗓音嘶哑带着悲惨的哭腔的声音："求求你们，救救他吧，他快要死了！"

"嘭"的一声，司机已从惊愣中反应过来，他迅速地打开了后车门，潮龙抱着楼刚一头撞进了车里。

李殊此时也已恢复了清醒，她建议着。

"正巧，从这路口向右不远就是中日友好医院，咱们把他们赶紧送过去吧。"

司机一踩油门，车子蹿了出去。

的士里，司机与李殊听到潮龙神经质似的不停地唠叨着："救救他呀，救救他呀，他快死了。"血水还在不停地从楼刚的腹部流出来，流到了潮龙的手臂上，又流到了车厢内的地板上。

李殊回过头来，同情地望着这个狼狈不堪的像疯了一样的人，安慰他说："你别担心，医院马上就到，我正好有一个同学在这家医院的急诊室工作。你们很快就会没事的。"

突然，潮龙又惊呼了起来："他昏过去了！他没有知觉了！楼刚！楼刚！你们快点开呀！"

伴着这声哀号，车子猛地停在了中日友好医院的急诊室前。李殊赶忙跳下车，她刚把后车门打开，潮龙就蹦了出来，随即转身抱起已昏厥过去的楼刚东倒西歪地向着走廊里走去。李殊赶紧在后面跟随着，司机一边停车去了。

这时潮龙又歇斯底里地大喊了起来："医生！医生！医生在哪儿啊？"急诊室走廊里的医生和病人都被吓得向墙边躲闪着。

突然，潮龙只觉得眼前一黑，"扑通"一声抱着楼刚栽倒在走廊里的地板上……

不知过了多久，潮龙感觉到自己的头脑中开始恢复了一些零散的意识，鲜血，肠子，暴雨，刺眼的车灯，医院的走廊。他猛地睁开了眼。他感到头上被什么东西紧紧地缠绕着。他用手一摸，是绷带。他猛地想起了楼刚，他一直是在自己怀里抱着的，这会儿哪儿去了。

"啊。"他惊叫了一声，从病床上坐了起来。

"哎，你别乱动。"一个女护士赶紧走过来，把他按到了床上，"你的头上刚缝了七针，脉搏也很弱，老老实实躺着。"

"我的伙伴呢？"潮龙急切地问道。

"他的情况很严重，正处于严重失血性休克状态，伤口也有些感染，正在抢救。"

"他会死吗？"潮龙有些恐惧地问道。

"目前病情已得到了控制，不会有生命危险，但还要做一些观察。李殊已为你们办理了住院手续，并交付了 1000 块住院押金。等你情况恢复了以后，请你把这笔钱交给我，我会代你转交给她的，我是她的同学。"

"谁是李殊？"

"就是刚才把你们送来的那个女士。"

"周冰洁，你到二床来看一下，那个病人需要打一针镇痛剂。"一个主治医生走了进来，把这个叫周冰洁的护士叫走了。

潮龙躺在床上，开始努力使自己思考一下现实处境。但一阵困倦袭来，他无力地闭上了眼睛，很快进入了昏睡中。

李殊回到汇园公寓的时候，已是夜里 10 点了。由于耽误了司机不少时间，后车座又被血弄污了，她执意要多付司机 50 元，但司机坚定地拒绝了，他说，即使她不在车上，他也会这么干的。

进到房间，打开灯，她坐在沙发里愣了很长时间。李特离去的事早被刚才经历的事在脑海里挤得一干二净。回想着刚才的一幕幕场景，她仍有些余悸。那小伙子伫立风雨中无视迅速逼近的车辆，一副悲壮的样子，以及那声撕肝裂胆般的狂吼，就像惊险电影中的经典场面一样久久萦绕在她的脑际。在她的生活阅历里，从未看到过这样的惨烈场面。她最后忽然关心起两个年轻人的处境来，他们现在怎么样了？他们到底发生了什么事情？那个为了救助处于垂危中的朋友，神志都几乎疯狂了的年轻人很像是个无比善良而又忠诚的人。他最后抱着伙伴栽倒在走廊里的样子，看了真让人伤心，同时也很感动。她肯定是被这种赤诚的感情打动了。她想都没想，就在医院提出办理住院手续时，为他们支付了 1000 块的押金，然后看到他们开始接受治疗后她才离去，想必他们现在都已转危为安了吧。

这一晚，李殊很久才进入睡眠。

第二天清晨，潮龙感到自己已清醒多了。在接受了两瓶葡萄糖液注射以后，他开始下地活动。头部因受到啤酒瓶的重击，仍有局部阵痛，但他对自己说，不能再在医院里躺着了。有很多现实问题需要解决，这次住院，一定会有一大笔花费，就目前所知，那个叫李殊的小姐已为他们垫付了 1000 元住院押金，其他诸如手术费用、医药费用、输血费用、输液费用，还有最重要的住院期间的三餐饮食。幸亏楼刚的奶奶在出事的前一天已经去青岛楼刚的叔婶那里去了，可能要一个月才能回来，如果让她老人家知道她的宝贝孙子差点儿命归西天，她一定承受不住这打击的。潮龙只见过一次楼刚的奶奶，就感觉到了这位老人对她这唯一孙子的深切疼爱。

他从仍有些潮湿的裤兜里把所有的钱都掏了出来，这些钱都湿漉漉的。看着这些钱，潮龙的泪水夺眶而出，就为挣到这些钱，他们两人吃了这么多苦，流了这么多血，还险些使楼刚丧命。一想到楼刚，潮龙更是悲泣不已，多好的朋友！如果没有他那舍生忘死的一跃，挡在他的脸前，那他现在肯定已经面目全非地躺在太平间里了！他一定要为楼刚的康复竭尽全力！

那些钱全加起来总计是 118 元。他们只有这些钱了，可这点钱能干什么呢？

他终于得知了那对于他来说几近天文数字的全部医疗费用——8000 元！

当这个数字从主治医师的嘴里平静地说出来的时候，潮龙感到不啻又挨了一啤酒瓶。他呆愣了半晌，随后坚定地对医师说道："我一定会支付这笔钱的，但我要求你一定要给我的伙伴最好的治疗。"医师郑重地对他点了头，因为他也早从潮龙的举动中被深深感动了。

潮龙将 100 元交给了周冰洁，嘱咐她妥善安排好楼刚的一日三餐，然后告诉她，他去找那笔庞大的医药费。周冰洁同情地答应了他，并要他恢复一下再离院。但潮龙还是去意坚决。他来到楼刚身边，楼刚正在昏睡。他含着热泪，望着这个知心换命的患难之交。默默地祷告，祝他早日康复。随后，他用手拆掉了头上的绷带，因为他不喜欢那个形象，顶着贴白膏药走出了医院的大门。

三轮车已找不到了。他来到了昨天打过架的地方，向旁边的菜站询问他那15箱空汽水瓶的去向。菜站的人告诉他，听说后来有人报了案，警察来过，因是无照经营引起滋事，马路两边的汽水箱全被抄走了。

潮龙一下蒙了，这回全完了，家当损失得一干二净。他敢去要吗？那不等于自投罗网吗？

兜里揣着18元钱，身上穿着不知哪位好心的医生为他找来的一件不太合体的白衬衫，潮龙惶然地在大街上走着。

"8000块，8000块，我到哪儿去找这8本子呀？！"潮龙一遍遍地在心里问着自己。他在脑海里仔细地搜寻着每一个可以给他提供帮助的人的名字。隔壁杨姨？不错，母亲去世后，杨姨经常在生活上关心他们兄妹俩。在三九天里，他们兄妹俩买不起煤的时候，是杨姨把自家烧得红通通的煤送进他那小屋里的炉膛，而她那才3岁的女儿因为家里只能控制有限的取暖时间，被冻得直哭泣。不，不能向杨姨伸手。那么大奇？一个瘫痪的老爹，多病的母亲，拿40%的工资在家吃劳保的妻子，还有一个让他应付不完的总在支付水涨船高的学费的上小学的儿子。这一切的开销都要向那不知疲倦地握在方向盘上的手去要，他能忍心再去釜底抽薪吗？不，还是不能！刘大妈、二奎叔、袁老师、于老伯、大新、宝才，不，不不！他们都不行！"谁来救我呀？！高辉，对呀，怎么把他忘了呢？因为他在家的时候太少了。但我不能要他的玩儿命钱。他不是说过吗？在辉煌大厦的顶上，放着5000块搏命金！只要你有胆量，你就去取呀！5000块呀！只要咬着牙从那上面跳一次！我就只欠医院3000块了，对，上帝保佑，但愿那钱还在辉煌的顶上放着。我一定要拿到手，哪怕肝脑涂地！对，去找高辉！"

高辉惊得足有 3 分钟没说出话来，他望着这个蹲在院门口一直等他到夜里 12 点多的朋友，不知道在他身上发生了什么事情能令他觉得比死更恐惧！

潮龙把头一天的遭遇给高辉讲了一遍。最后激动地说："辉子，如果当你看到有人为了你，肚子被剜开了一个大口子，肠子都流到了地上的时候，你还有什么不能为他做的吗？！"

高辉直听得热泪盈眶："即便如此，你也不能去寻死啊！你这不是逼我把你往死路上推吗？钱的事，你甭管了，我给你托替去！"

"辉子！"潮龙的声音有些哽咽了，"我现在不想举债，我只想自己挣！"

"咱俩是不是兄弟？！"高辉也急了。

"辉子！从小到大，我给你跪过吗？今儿我给你跪下了！！"潮龙说完，扑通一声跪在了高辉的面前。

高辉的泪水滴在了潮龙头顶的白膏药上……

香港导演真是喜出望外，辉煌大厦那场戏都快成他的心病了，遍寻大陆高手均未果。即便有个别人敢应，开价也令这位导演直想把这哥们儿推荐到好莱坞去。他不无戏谑地对那位说，如果答应他的要求，他从那顶上跳一次够拍两部这样的片子。好不容易与香港的一位著名特技达成了交易，但那位先生说，他刚下了一部戏，需要去加勒比海度半个月的假。急得这位导演直想自个儿上到辉煌的顶上去往下跳一回。但他很快便在别人还未察觉他曾产生这一愚蠢念头的时候，说服了自己。

他一眼就看出了眼前这个叫肖潮龙的小伙子肯定是为生活所迫才来玩儿命的。因为他那充满焦灼和渴望的眼神，已经强烈地暴露出了这一点。所以，当高辉代潮龙与他谈判，要求将酬劳增至 8000 块时，他把那位香港特技的加勒比假期缩短了 10 天。

经过短暂的动作演练及现场走位，潮龙已对破窗前的动作胸有成竹。随后当他从这个空调房间撞进暑热的时候，就看他的运气了。此时潮龙头上戴一顶高辉赠给他的在香港买的美国海军陆战队的战斗帽，帽子前方的帽墙上，用金线绣着一个弧形的英文单词"艰巨的事业"。高辉说这是他的幸运帽，愿潮龙戴上它能走好运。潮龙感激之余也非常乐于用它遮住头顶的白膏药。由于这个细节，那是个饰演杀手的演员，也不得不在一些必要的镜头中戴上此帽。潮龙着一身美国职垒夏季运动服，那个快速自动降落伞包就背在背上，胸前的一个小拉绳是开启装置，外罩一件黑色的真丝夹克。潮龙把那小拉绳露在夹克拉锁的外面，以便能随时拉到它。夹克的后背上很巧妙地开了一个很容易崩开的后背缝，如遇不测，伞包将从那里破缝而出。征得店方同意，窗玻璃早已换成了糖化的，否则按辉煌本身的玻璃质地，潮龙在腾空落地后，他仍会享用空调的。弹板安置在距窗户两米远的地面上。房间内的打斗戏已提前拍完，今天要完成的就是潮龙的一组破窗系列镜头。

此时从无线电报话机里传来导演来自地面的问询："肖先生，你OK了没有？"

潮龙此时已习惯了"肖先生"的称呼。

此时他平静地对着报话机回道："请再给我5分钟时间。"随后，他走到高辉身边，此时房间里的导演助理、摄影师、灯光、音响师、场记都神情肃穆地盯着潮龙。潮龙无比真诚地望着高辉的眼睛，然后舒缓而又深沉地说道："辉子，我们从小到大是最好的朋友，我对你非常信赖，我现在对你交代三件事：第一，如果我摔死了，请你帮我把这笔钱送到中日友好医院。告诉楼刚，我已经竭尽全力了，他的救命之恩，我只能来生相报了。另外，替我好好安抚小汐，告诉她，哥今后不能照顾她了，要她多保重。第二，如果我摔成了重残，不要管我，先拿钱救楼刚。"

"潮龙！"没等潮龙说完，高辉一下抱住了他。

潮龙扶起高辉的头。"第三件事，如果我安然无恙，我请你喝啤酒。"说罢，潮龙将高辉推到一边，操起报话机说道，"导演，请开始吧。"

顿时，房间里的摄制人员迅速就位，导演助理用报话机回答着地面上导演的各项提问。

楼上楼下全部就绪，随着导演用扬声器发出的一声起飞的口令。两架直升机隆隆地启动了起来，片刻，天空中便响起直升机的轰鸣声。

两架直升机很快便升到了预定高度，入画的直升机已调整好了盘旋的位置，跟拍的直升机也已架好了机器，严阵以待。

随着上下所有报话机中传出的一声声"OK"，开拍的口令瞬间传到了每一个进入工作状态中的人的耳朵。三台摄影机的胶片同时滚动了起来。潮龙此时全神贯注，凝神判断好了窗外直升机的位置，调整了一下体态。他已听到背后的摄影机发出沙沙的响声。他在心里默默地数了"一、二、三！"，随即他开始助跑，踏上弹板，腾空了，身体展平，双拳击出。"哗啦！"随着玻璃的撞裂声，他已被弹板送到窗外，送到了天空中！登时他感到一股灼人的热浪扑面而来，他骤然体会到了一种飞翔的感觉。仅在转瞬之间，他已看到那白色的支撑横杆正迎面向自己撞来，他全力张开双手，嘭，抓住了，双手全抓住了。随即他感到身子随着惯性向前一冲，而后在机身下荡了起来。他感到直升机的螺旋桨翼扇起的巨大风声在耳边呼呼作响，他咬紧牙关，在心里一劲儿地重复着一个词："抓紧！"身子终于垂直了下来，他知道自己成功了。这时一个剧组人员从机舱里伸出手臂把他拉了上来，随即热烈地拥抱了他。霎时间，从破窗的房间里、地面上爆发出一股欢呼的热浪。潮龙看到高辉从破碎的窗口拼命地向他挥手，并喊着他的名字，他此时已是泪流满面。两架直升机开始向地面上降落下去。

到了地面，潮龙受到了英雄凯旋般的礼遇。香港导演激动难抑地跑了上来，一把抱住他用手使劲地抚着他的头。所有的人都过来同他握手。潮龙此时也是激动不已，他仰头望着那创造奇迹的地方，被自己的勇气深深地感动了。

这时，直升机上下来的摄影师表情阴郁地走过来，把导演叫出了欢乐的人群，小声地说着什么。潮龙注意到导演的脸色立刻绿了。他立刻感到了一股不祥的征兆。

导演沉着脸抄起了扬声器，示意大家安静下来，这时高辉已乘电梯下到了底层，他气喘吁吁地跑到潮龙身边，刚想向他祝贺，突然注意到周围的气氛有些不对头。

导演走到潮龙身边，嗫嚅地说道："肖先生，有一个坏消息，我知道你刚才表演得非常好，但我们的拍摄出现了问题。刚才直升机上的摄影师告诉我，他在拍你破窗镜头的时候，机身没有架稳，致使在你破窗前后的那一瞬间，镜头晃动了一下，没能使你那完美的动作准确入画，镜头是从你握住横杆前的那一瞬间开始记录的，也就是说，在你完成动作中的最精彩也是最重要的镜头，我们没有拍摄到。"

现场顿时鸦雀无声，每个人的脸都阴了下来，那个摄影师更是惭愧地低着头。

半晌，香港导演用一种悲哀的声音对潮龙说道："肖先生，我知道我简直很难说出口，但我还是想诚恳地请求你，能不能，再来一次？"

"什么？！"高辉一下愤怒了，"你丫以为他有几条命啊？！"导演顿时语塞了。现场又恢复了安静。

潮龙紧锁眉头，呆呆地仰着头望着那残破的窗口。他好像第一次感觉到了它是那样高。

突然，他咬了咬牙，转头向正诚恳地望着他的导演说："我可以再跳一次……"

"潮龙！"高辉一把抓住了潮龙的袖子，"你疯了吗？"潮龙做了个手势制止了他，继续说："但你要把酬金给我加一倍。"

"嗒、嗒、嗒、嗒、嗒嘎！"香港导演一迭声用粤语说了一串话。即便这个价钱，也要比付给那个正在加勒比海度假的家伙低。他于是很痛快地答应了。

高辉茫然地看着潮龙，他惊得一句话都说不出来了。

房间的玻璃很快又换好了。导演开始用探询的目光望着潮龙。

"导演，这次我只想一个人上去。"

"……好吧，我用报话机与你联系。"由于只需在直升机上补拍一个破窗的镜头，所以导演同意了潮龙的要求。

摄制组成员们都挨个过来拥抱一下潮龙，说一声"祝你走运，朋友"。只有两个人例外，一个是高辉，一个是那个犯了错的摄影师。

潮龙走到蹲在地上的高辉身边，俯下身轻声说："辉子，别为我担心，我头上戴着你给我的幸运帽呢，再说，这回我可以跟医院白账了。"高辉一动不动，沉默不语。潮龙拍了拍他的肩膀随后直起身，用目光捕捉到了那个摄影师的位置。他正用一种幽怨的目光注视着潮龙。潮龙走到他面前，静静地与他对视着。少顷，从容地说道，"朋友，你是唯一能记录下我勇敢的人。"说完，转身向辉煌大厦的门口走去。

"这将是我一生中最出色的作品！"潮龙背后传来摄影师有些激动的声音。

"谢谢。"潮龙头也没回。

电梯里只有他一个人，四周静得只能听到电梯运行时的微小音响。潮龙感到像是被抛弃到了一个远离尘世的世界。他的心突然狂跳了起来，头上也开始沁出了冷汗。他真想电梯能马上停下来，进来一两个人，但始终没有。他孤独地看着号码盘上的数字被红色的指示灯依次点亮着，那经历了无数次重复的闪烁，此刻对于他来说却具有一种特殊的意义。在那红灯的尽头，命运将会向他展示一种什么样的答案呢？他已用生命做过一次赌注，但上一次，他几乎没有产生恐惧感，因为他情愿用死亡去为那同样需要非凡的勇气才能完成的一跃做一次回报。结果，命运为他赢回了赌注。虽然给他行为的意义制造了个遗憾，但他仍能理直气壮地拿到那笔钱。那么这次呢？是什么支配着他再次用生命冒险下注呢？他无可否认有仍差 3000 元亏空的因素，但不尽然，他深切地感到还应当有一种令他的生命认可的意义！他必须为他这站在狭小、孤独的空间里忍受着不断升级的恐惧的行为找到理由！但他找不到！如果非要给自己一个解释的话，那这就是一种生命的倔强！靠着这种倔强，在他 4 年多的打工生涯里，他饱尝冷暖，忍辱含悲；靠着这种倔强，他用自己的鲜血在紫禁城里拯救了两个人的信心；靠着这种倔强，他视死如归地抱住自己生命垂危的伙伴站立在暴雨倾盆的三环路上。潮龙顿悟，他此刻的行为，就是要给这躯体中的灵魂一个最完美的诠释！

哐啷一声，电梯门在顶层开启了。他无比沉重而又坚定地迈了出去。

他操起了报话机："导演，请开始吧。"

随即，他双目炯炯地注视着窗外。很快，直升机再次进入了他的视野。那隆隆的轰鸣声，像催征的号角，在他心中陡然搅起了一股狂潮，这是一种多么熟悉的感觉，那是他曾作为一个拳击手即将跃入绳圈内时所产生的临战前的亢奋！他对着报话机说道："导演、摄影师，我准备好了，你们呢？"

导演从直升机里用报话机回道："OK，肖先生，一切 OK，请开始吧。"

潮龙扔掉了报话机，蓄了蓄势，高声数喝："一！二！三！"他开始助跑、踏跳、腾空、撞击，"哗啦！"他又飞到了空中！

突然，他感到了一股气流撞在了自己身上，他的身子不由自主歪了一下，与此同时，那迅速逼近的横杆也陡然晃了起来。恐惧在他心中才一冒头，他就感到是他的头而不是他的双手碰到了横杆上。咚的一声，潮龙只觉得在他眼前炸开了一个灿烂。随即他看到了无边的黑暗。他感到自己像进入了浩瀚的宇宙，像一颗行星般迅速地飞进着。"不对，我在坠落！"潮龙突然意识到了自己的状态，但他眼前仍是一片漆黑。他把手迅速地伸到胸前，但他没有摸到那小拉绳。糟糕，他刚在心里惊叹了一下，就感到在下巴上糊着一个细小的东西，他忙用手一抓，对了，就是它，快拉！嗖！他骤然感到后背上轻松了一下。他仍然看不见世界，只听见耳边风声"呼呼"作响。他不知道他是何时拉那小绳的，也许在他刚才遨游宇宙的时候，死神已在向他招手了。他忽然感到了一种心如止水般的宁静。或许这是恐惧走到极限时的一种感觉吧。突然，他感觉被一种强大的力量使劲向上拽了一下。几乎是一秒的间隔，他就感到双脚着了地，扑通一声，他感觉到他的脸终于贴到了坚实的大地上。之后，他感觉有一条热乎乎的小虫在他额头上不停地爬着。

　　"潮龙！潮龙！"在高辉的呼喊中，潮龙终于慢慢地驱散了黑暗，他首先看到了高辉的一张悲怆的脸，随后是许多张脸正关切地望着他。一个急救员正麻利地在他头上缠着绷带，他的额头撞在了横杆上，裂了一个2公分长的口子。这时他看到了导演和那个摄影师，他们都俯下身来，殷切地注视着他。他张了张嘴，感觉自己还有力气说话："导演，这次我失败了。"

　　"不，很成功，很成功，最重要的镜头都摄下来了，把你两次完成的动作剪接一下，就会很完美的！"潮龙感到他的手被摄影师紧紧地握着，紧紧地握着，很久，很久。

　　潮龙终于站了起来，除了头有些昏沉，身体四肢感到非常完好。

　　高辉粗暴地把他身上那件夹克扒了下来，一边奋力一扔，一边狠狠地嚷着："嘿，老兄！你发财了，别忘了你已欠我两顿啤酒了。"

　　两个朋友热烈地拥抱在了一起。

　　望着一大堆水果、罐头、补品和码在面前的两摞钱，楼刚狐疑地问道："潮龙，从哪儿搞到这么多钱？"

　　潮龙微笑着说道："有人跟我打赌，如果我敢从辉煌大厦顶层的房间里跳出来，他就付我5本儿，结果我一口气儿跳了两回，他输惨了。"

　　"别开玩笑，潮龙！"楼刚有些愠怒了。

　　潮龙收住了笑，静静地看着他，然后说："是真的，这是一部香港动作片中的动作编排，跟我打赌的是导演。"

　　楼刚猛地把头垂在了胸前。

　　潮龙拍了拍他的肩膀："嘿，怎么了，我这不是挺好的吗？交完了医药费，我们还能挣两本儿呢，比卖汽水强多了。"

　　两滴泪水从那低垂的脸上落到了两摞钱币上。

　　潮龙找到了周冰洁："周护士，多谢您照顾了我的伙伴，让您费心了。"

"嘻，别客气，我看你们那样也够惨的，哎，你怎么好像又挂彩了？"

"噢，不是，上次我拆了绷带后，又担心伤口感染，所以又给缠上了，我是庸人自扰。"

周冰洁咯咯笑了起来："看你现在倒挺斯文的，刚进院那会儿把我吓坏了，跟恐怖片似的。"

"是吗？那您看我演技怎么样，够得上偶像派吗？"

"哼，录下像来给幼儿园的孩子们看，十个里得有九个晚上尿炕。"

"还有一个呢？"

"在太平间里尿了。"

"周护士，您真有意思，我争取今后改戏路子了。呃，今儿我找您是想问问，您那个同学，叫李殊的，我怎么才能找着她？"

"是还钱吧，你交给我吧，我替你转交。"

"噢不，周护士，你知道吗，那天如果没有这位李殊小姐，那肯定就是我那位朋友死了，我疯了。她是我们哥儿俩的救命恩人，我要不当面向她致谢，我一辈子都会良心不安的。麻烦您，能不能……"

"我把她家的电话号码告诉你吧。"周冰洁深表理解。

第三章

一

红粉知己

　　星期日的晨光温柔地倾洒在亚运村的汇园公寓上,倾洒进一扇扇的窗户中。李殊穿一身红色的轻便休闲服走出了她的卧室。洗漱完毕后,她从梳妆台上取下一把排梳,走进了客厅。她先走到一台落地式 kenwood 音响前,蹲下身,挑选了一盘美国著名乡村歌手约翰·丹沃的专辑激光唱盘,放进了带仓,按下了音响键,随即,清新、优美、轻快的歌声在客厅里飘荡了起来。李殊走到穿衣镜前,用排梳开始梳起她那烫得很蓬松的长发。

　　"铃……"一阵清脆的铃声扰进了丹沃歌声中的旋律。李殊走到沙发中间的桌几旁,拿起了电话:"喂,哪一位?"

　　"您是李殊女士吗?"

　　"对,是我。"

　　"您好,我叫肖潮龙,就是那天晚上被您用的士送到中日友好医院的那个差点儿发疯的人。"

　　"噢,我知道了,你先等等。"李殊说着把电话放到旁边的沙发上,随后

58

走到音响旁，将丹沃的歌声调成了小声吟唱，然后回到沙发旁，抄起电话，盘起一条腿，坐到了沙发里。

"喂，那你现在没事了吧？你那个伙伴怎么样了？"

"托您的福，我们现在都转危为安了。"

"那太好了，那天你们到底发生了什么事情，当时把我吓坏了。"

"我们当时在和平街北口卖汽水，跟人打起来了，对方手里有凶器，我们吃亏了。"

"噢，是吗？哎，你是怎么知道我的电话的，是周冰洁告诉你的吧？"

"对，不过您不要埋怨她，因为您是我们的救命恩人，我必须要当面向您致谢，同时，我还要把那1000块钱还给您，您看，我是不是能……见到您？"

"嗯……"李殊想了想，她对那天的经历感触很深，这个肖潮龙也给她留下了一个奇特的印象，好像在他身上有着某种令她感到好奇的东西，反正今天也没什么事，"你知道亚运村吧？"

潮龙按响了208室的门铃。他看到装在门上的猫眼一晃，随即门被打开了。

由于那天情况危急，潮龙的神志又相当不稳定，所以他根本就没记住这位女恩人的模样。此时他才注意到，站在他面前的，是个很标致的女孩。一头过肩的长发被烫成了起伏有致的波浪形，一张小巧的瓜子脸上，长着一双明媚的大眼睛，睫毛很长，看上去应该是天然的。鼻梁挺直，嘴唇的轮廓很分明，此时这张俏脸冲他微微一笑："你就是肖潮龙吧？"

"对，您肯定是李殊女士了。"

"对，我提个建议好吗？为了使我们的谈话随便点，请你把'女士'两个字去掉。"

"好吧，那你喜欢'贵人'这个称呼吗？"潮龙感到，这个可爱的女孩令他的思维很兴奋。

李殊轻轻笑了起来，她喜欢谈吐风趣的人。她故意粗着喉咙说："肖先生，你是不是想逼我穿上一件晚礼服以对得起您的称呼呢？"

"千万别，因为我的装束连侍者都不如。"

两人笑着走进了客厅。李殊问道："想喝点什么？咖啡还是红酒？"

潮龙坐在了沙发里："您随便吧，反正我都没喝过。"随后他从兜里掏出1000元钱放到了沙发前面的一个玻璃面的条几上。

"真的？"李殊很惊奇，"那这是不是意味着我将要为你同时准备两种风格迥异的饮料？"

"别，太夸张了。您就随意吧。"

"好的，你先坐会儿，想不想听听音乐？"

"呃，我喜欢激越一点的，有迈克尔·杰克逊的吗？我最喜欢他的歌。"

"有。"李殊说着走到音响旁，在一个精巧的音带盒里找出一盘迈克尔·杰克逊的 *Bad* 激光唱盘，放进了带仓，"想听声音大一点的吗？"

"对，我喜欢刺激。"

"当！"的一声，一个剧烈声响的鼓点从音响里炸了出来。尽管潮龙做好了迎接激情的准备，但他还是被这无与伦比的剧场效果般的巨大声响震了一哆嗦。他赶忙说："我的妈哟，你还是让杰克逊稍微理智一点儿吧。我差点儿把心脏吐到你家的地毯上。"

李殊调好了音量，冲着潮龙一笑，反身去准备饮料了。

从音响中传出了杰克逊无与伦比的强音，潮龙从未感受过如此美妙绝伦的听觉享受。此时，杰克逊正在演唱一首潮龙很熟悉的《你给我的感觉》，他一边随着音乐的节奏轻轻有力地点着头，一边四下望着客厅中的陈设。

客厅的四周全都贴着一种有凸凹花纹的乳白色的壁纸。头顶上是一个由三个灯盘组成的缀满了灯饰的吊灯。地面上铺着浅驼色的富有西域风情的纯毛地毯。图案非常柔和，给人一种软绵绵的感觉。临窗的墙角，是杰克逊歌唱的地方；窗的另一侧有一个酒柜，透过玻璃拉门，潮龙看到里面摆满了各种中外名酒，装饰性很强。潮龙回忆起，在嘉伦饭店的西餐厅和大厅酒吧里洗地毯时，曾见到过这些精美玩意儿。他正坐在一个黑色的真皮面的长沙发上，沙发的长度能坐 4 个人……

李殊将一杯香浓的咖啡送到了潮龙面前，她给自己冲了杯柠檬茶，里边泡着叮当作响的冰块。

潮龙呷了一口滚烫的咖啡。李殊问道："怎么样，第一次的口味还行吗？"

"嗯，我觉得它不像有些人说的那么苦啊。"

"那是因为我比固定剂量多加了一勺伴侣，我怕待会儿洗杯子之前多一道程序。"

"那您多虑了，能受到您如此盛情的招待，即便这是黄连水儿，我也会捏着鼻子喝下去的。钱放这儿了，您收好。"

"就放那儿吧。你把我想象成什么人了，用黄连水招待客人，就好像我先喝惯了似的。"

"对不起，我口误，我是想表明我的心迹。真的李殊，您不知道那天我站在道上拦您那辆车的时候，有一瞬间我想的就是干脆让你们把我们俩撞死得了。我现在回想起我当时的神志都觉得有些不可思议。"

李殊端着杯子在旁边的单人沙发里坐下，安慰地说道："嗐，都过去了，别去想它了。跟我说说，你是干什么的？哎，你是不是觉得该让杰克逊歇会儿了，咱们喝着饮料听他号，有点太残忍了，我去换盘温馨点儿的，谈话的气氛会富于情调。"

"我赞成。"

房间里很快飘荡起理查德·克莱德曼的情调钢琴曲。李殊回到沙发上，喝了一口柠檬茶："你在哪儿工作，干吗想起卖汽水啊？"

"我没有工作，卖汽水是为了糊口。"

"不能一直卖汽水吧，你以前都干过什么？"

潮龙轻轻地嘘了一口气，将咖啡杯放到条几上："从哪儿说起呢？在我以往的生涯里，唯一值得我骄傲的，就是我曾经是一名北大中文系的学生。"

李殊插话道:"怪不得呢,我觉得你身上有一股书生气,根本不像做买卖的。"

"那太糟糕了,我一定会改变这一点的。"

"为什么呢?"

"这是生存需要,你一旦进入戏,就必须扮演好自己的角色。"

"你想成为商人?"

"是的。"

"你刚才的话题被打断了,接着说,一个北大学生怎么会沦落到卖汽水的地步?"

"在我大二的时候,我最后一个长辈——母亲去世了。为使妹妹和我继续有饭吃,我只好退了学去打工挣钱。我干过很多工作,装卸工、伙夫、水暖工、饭店的临时工,我一直干了4年多,后来我深切地意识到,如果我继续干下去的话,那我永远也走不出贫穷的阴影。我的结局会和母亲一样。她一个人挣钱养活三口之家,最后操劳过度得肾炎去世了。"

李殊脸上显出非常同情的神情:"所以你就决定去做生意了。"

"对,这是唯一的选择。"

"你做生意有多久了?"

"练汽水是我第一个生意,你见到我的那天是我开张的第二天,我的运气非常糟。我们俩开张第一天就被工商罚了,当时我们全部的钱加起来才15块,他们还逼着我在半小时之内交罚金,否则就没收我的家当。当时真把我挤对急了,赶紧跑到医院卖了血才把钱交上。"

"啧……"李殊一脸的难过。

"第二天,好不容易快卖完了,就出了那事。"

"那你能有多少钱呀,你们俩伤成那样,住院怎么也得花好几千块钱啊。"

"是啊,可苍天有眼,我们命不该绝。正好我一个好朋友给我介绍了一个挣大钱的机会,一个香港动作片要找一个替身,从辉煌大厦的顶层房间里跳出来，抓住一个直升机的支撑横杆。"

李殊脸上的表情都凝住了。

"开价5000，第一次我抓住了，他们没拍到，第二次他们拍到了，我掉下去了。"

"哎呀！"李殊叫出了声。

"别担心，我这不在这儿嘛。不过真悬，我背上的降落伞再晚开一秒钟，现在就不会有人喝你的咖啡了。两次的酬劳一共是10000块。他们还给了我外汇券。除去医药费和你垫的钱，我反而还赚了。哎，这世上的事就是不可思议，我们辛辛苦苦卖汽水，还不如在辉煌顶上跳两回来钱呢。所以这事给我很大启发，做生意也存在着一个选择问题。种豆得豆，种瓜得瓜，做小生意同样不会有很大起色的。所以这几天我总在考虑，如何使我们的生意起点高一些。"

李殊从惊讶中恢复了些："瞧你把那些危险的事像说儿戏似的说出来，你难道不害怕啊？"

"怎么能不害怕呢，可又有什么办法呢，对于穷人来说，只能被命运选择，而不能去选择命运。我跟你不一样，看得出你的生活很富裕，你可以住在舒适的公寓里，喝着柠檬茶感受着现代情调为你营造的如此温馨的氛围。你可以自由支配你自己的意愿，因为你生活在世界的白昼里，感受的是明媚的阳光。而我如果想进入白昼的话，就必须得在黑夜里不停地走。你如果也在嘉伦饭店连着上6个月的夜班，就会理解我了。"

李殊出神地望着潮龙，她被他的话深深打动了。她忽然问道："你今年多大了？"

"24。"

"真没想到，这么年轻你就拥有了这么多东西，我比你大4岁都没有你的这许多感受。"

潮龙打趣："有志不在年高嘛。哎，我说李殊，别老琢磨我啦，能透露点儿你的情况吗？我听周冰洁说，你是搞服装设计的？"

"对，我在中国服装研究设计中心工作。"

"今儿是星期日，怎么就你一人在家呀？"

"这儿就住着我一个人。我母亲去世了，父亲和哥哥在香港，我第一次见到你那天，就是送我哥去机场回来。"

"他们在香港干吗？"

"他们大概就是你想成为的那种人。"

"商人？"

"对。"

"做什么生意的？"

"很多，金融业、房地产、百货公司、船舶航运。"

"是吗？我说你怎么会住在这地方呢。那他们肯定是百万富翁了？"

"恐怕得以亿万计了。"

潮龙顿时睁圆了眼睛："我说呢……"

"那有什么，那是他们的事，跟我没多大关系。"李殊显然不想让潮龙误会她什么。

"李殊，那我就不明白了，你为什么不去香港经营你父兄的事业，却甘心在这里做薪水阶级呢？"

"我不喜欢商场上那种残酷竞争、尔虞我诈的气氛。人在那里面都变得贪婪、自私，人性沦丧。噢，你别在意我这么说，我只是把我的想法真实地说出来。"

潮龙插话："我想这是事实。"

李殊继续说："而且人一投入商业中，就变得像个永远不能停止工作的马达。我哥赴港前曾在北京开过一个电脑公司，那时他给我的就是这样的感受，整天脑子里想的就是他的生意，什么要开发一种新软件，组织全国新技术产品展示会了，申请在国外的专利了……"

"真痛快！多么充实的人生啊！"潮龙情不自禁地感叹着。

李殊哭笑不得："啊，你们俩倒找到共鸣了。你没瞅他那样儿呢，吃饭上厕所都念叨，恨不能做顿饭炒个菜都跟输入程序似的。简直成了工作的奴隶，他甚至都诅咒过年过节，认为这些年节都把他的生意给耽误了。"

潮龙轻轻点着头："这就是男人的责任心啊。"

"我就不习惯这些，我认为工作应当有度，如果让工作挤掉了生活的乐趣，应当算是一种人生的悲哀，更何况是为了赚钱。我喜欢张弛有度的生活，工作起来我也可以忘我，但它不能成为我生活的主宰。我更喜欢生活的另一面，浪漫、轻松，在充满艺术气息的氛围里陶冶情操，感受生活中一些更丰富的底蕴。"

这回轮到潮龙听得入神了："你描述的景象真是太美了！我认为你说得也很有道理。我可不可以这样认为，你不是一个拜金主义者？"

"对，我觉得商人最大的悲哀就是成为金钱的奴隶后，对自我把握失控的一种不幸后果。"

潮龙苦笑了一下："李殊，你有没有想过造成这一不幸的根源是什么？是赚钱的欲望，对吧？这欲望又源自于什么呢？是对没钱的恐惧，而没钱又意味着什么呢？"

"贫穷。"李殊答道。

"太对了，如果让你现在搬出这套公寓，住到像我家那样的平房里去。在寒冷的冬季里，冰凉的炉膛里没有燃烧的煤。你躺在像杜甫的《茅屋为秋风所破歌》里形容的'布衾多年冷似铁'那样的被窝里，听着露风的窗外西北风呼呼地山响，等你睡到半夜，翻一个身，都会被渗入被窝的凉气冻醒。请问，此时你还有心情去找浪漫，去陶冶情操吗？生活中那丰富的底蕴在哪儿？我告诉你，就在我那冰凉的被窝里。刚才你还问我对选择在辉煌大厦冒险的感受。我告诉你，当你一文不名地站在大街上，恐惧地对自己说：我得到哪儿去给自己弄点吃的……的时候，你就会有勇气用自己的整个生命向一次生存的机会下赌注。你能告诉我你对贫穷的感受吗？"

李殊惶惑地摇了摇头。

　　"诚然，正如你所说，商人们被商业熏陶得贪婪、自私，道德沦丧。他们在商场上互相倾轧，你死我活地竞争。但如果把他们撤出来，置于一种超然物外的境界，我相信他们没有一个人想那样活着。但现实世界就是这样冷酷：竞争中的胜者才能保住生存地位和利益；失败者就会去重新拥抱贫穷，像我现在这样活着。我憎恨贫穷，因为它令我感到自卑。它让我找不到在社会中的地位。你贫穷意味着你无能，人们对于无能的人是从来不会寄予同情的。你于是感到了一种恐惧般的孤寂，没有人注意你的存在，没有人同你交谈，他们甚至没有耐心听完你的名字！人生其实是一场残酷的竞技，大家一生忙忙碌碌实际上就是为挣一份生存资格的认可，说穿了就是获取财富的能力。而钱就是衡量这一能力的最实际的标准。这东西的力量是如此神奇，以至于什么人格、尊严、高傲在它面前都是那么苍白乏力，不堪一击。上学的时候，在书本上曾见过'志者不饮盗泉之水，廉者不受嗟来之食'这样的教唆，我认为那永远是书本上的乌托邦。那个不饮盗泉水的孔夫子，是个十足的伪君子，他靠着他的大弟子子贡为他托替周游列国。子贡你知道吗？春秋时鲁国著名的大商人。这就是孔圣人，一边仰人鼻息，一边还在那儿大放厥词。'死生有命，富贵在天。'只要是穷人，就永远会为五斗米折腰。不信吗？看看街上那些挣扎在风雨中年逾古稀的板儿爷，看看那水果摊后一张张四季沧桑镂刻的老脸，还有那一座座华丽的大饭店内像工具一样操纵于资本家手中的大妈们。说到这儿我想起一件事，我在饭店打工时曾见过一个外籍厨师长，30 岁左右的年纪，竟能从他那蹩脚的中文中找到对他那欧罗巴式杂碎头脑的诠释。他会堆着一脸的坏笑，盯着一位正在墩地的大妈说：'阿姨，操（擦）地。'这绝不是语音的误会，也许那位大妈是个一生受人尊敬的妇女，但她的晚节却被玷污在了那洋杂种的臭嘴里。是什么制造了这悲哀？是钱！她需要钱，还需要体会一下身处在巨额财富堆砌起来的地方是一种什么感受，对于一个大半生忙于生计，不知奢华为何物的妇人而言，在这里打老年工，可以得到双重的满足！每一个饱尝贫穷的卑鄙商人都可以告诉你这种类似的感受。"

李殊陷入了沉思之中，她感觉她的心被一种很深沉的东西拽住了，别说去感受这些，在她的生命里，从没有人对她讲过这些，她感觉自己像经历了一场洗礼。而给她施洗的竟是一个比她小4岁的男人。她忽然望着他，笑着问："咖啡好喝吗？"

"非常好，基于此点，今天对我来说是个非常有意义的日子。"

"我也是。"李殊一脸的认真。

潮龙瞥了一眼墙上的挂钟，已快到中午12点了。他赶忙说："哎呀，一晃都到中午了，打扰了你一上午，真不好意思，我得走了。"

李殊赶紧站起来拦道："吃了饭再走吧。"

"那怎么行呢？已经够给你添乱了。"

"我是轻易不发出邀请的，尤其是男性。你想让我难过是吗？"

"呃，看来你的理由太充分了，拒绝会显得我很愚蠢。"

"说对了！"李殊居然高兴得蹦了一下。

"那我出去买点什么。"

"你什么也不用买，我这冰箱里都有，给你做什么你就吃什么。"

"那我太不像话了，本来是来谢恩的，反而蹭了一顿饭。"

"又欠我一人情吧，以后找机会还吧！"李殊说着把两只喝完饮料的空杯子拿起来，向客厅外走去。

潮龙一边跟着一边说："那我现在先试着还一部分吧，比方说，我可以为你做点什么，我曾经做过炊事员的。"

李殊在水池里洗着杯子："那你还是歇会儿吧，我可见过机关食堂里炒大锅菜的，那一大勺盐下去，能咸死一头驴。"

潮龙忙解释："我不是炒大锅菜的。我是小卖部卖凉菜的，像什么辣黄瓜条，拌土豆丝、海带丝，粉皮拌麻酱什么的。"

李殊洗完了杯子，已围上了围裙："那你刀功一定不错吧？"

"呃，总的来说还可以，就是总有人抱怨，从凉菜里吃出指甲盖来。"

李殊扶着厨房的门框笑弯了腰:"看来你只能择菜了。我这儿可没创可贴,要是再短俩手指头,连工伤都算不了。"

在享用了一顿可口的午餐后,潮龙站到了门厅里,准备告辞。

李殊问道:"你最近准备忙什么?"

潮龙一边拉开门一边说:"最近可能大部分时间得待在医院里陪我那位朋友,另外再想一想怎么再把生意捡起来。"

"代我问候你那位朋友,祝他早日康复。"

"谢谢你,你真是个好姑娘。"潮龙说着已走到了门外的楼梯口。

李殊倚在门边,目送着潮龙下楼,突然问了一句:"你的记性不会太糟吧?"

潮龙扬了下头:"啊?啊!"他糊里糊涂地应了一句。

"李殊,你来了。"在中国服装研究设计中心大楼的走廊里,李殊碰见了同事小史。"哟,李殊,这两天怎么见瘦啊,眼圈也有点黑。"小史关切地问着。

"噢,没什么,这两天休息得不太好。"

"注意点儿,啊!"小史说着拍了拍她的肩膀,然后走了。

李殊独自向自己的办公室走去。是啊,这两天,她也不明白为什么,神情总有些恍惚,做事心不在焉,心里老莫名其妙地紧张。原来睡眠挺好,近几天却经常失眠。最可笑的是,那些她平时爱听的温馨浪漫的曲子也不能打动她了。不自觉地总想听迈克尔·杰克逊的曲子。她平时是很少听这种令人血压升高的狂曲的。

走进办公室,她冲抬头望了她一眼的老赵打了声招呼。然后,走到自己的办公桌旁,将桌上的台历翻到了今天的日子:"哟,都星期五了。"她的心抽动了一下,觉得日子过得真快。

她将墙上挂的一些服装板型取了下来,她正为中心设计一个"秋"系列的女套装款式。她抽出一个袖片的版,循着昨天的思路,考虑着是否砍掉一点袖山的高度。忽然她意识到应当先量一下前后衣片的袖笼周长。"怎么搞的。"

她埋怨着自己，然后放下袖片，找出前衣片，发现胸省的省距还被涂得乱七八糟，没有最终定位。

"唉！"李殊泄气地将衣片版往桌上一扔，用右手抵住了头，胳膊肘支在桌上。她的目光却不自觉地又盯在了台历上。

星期五，这日子有什么特别的吗？李殊在心里问着自己。已经过去5天了，她既没有接到那个电话，更没有见有人来按208室的门铃。噢不，小莉来过，雅琴来过，还有两人也来过，怎么她们就像敲开了门，露了一脸儿就走了似的。李特从香港来过一长途，说他已执掌帅印了。爸还问她一个人生活怎么样，是否寂寞。对，她的确很寂寞，但这寂寞曾在上个星期日的上午被打破过。这就对了，所有的烦恼忧虑都始于那个上午以后。这个该死的肖潮龙。他果真记性很坏吗？就算电话号码忘了，门儿总还记得吧。电话号码忘了也不要紧，可以再问周冰洁嘛。周冰洁？她上次见我不是想向我借《雨人》的录像带吗？对了，我为什么不给她送到单位去呢，这样就顺理成章地见到了那个人。"最近可能大部分时间得待在医院里……"这是他说的。

李殊找到了她失眠的原因。

"周冰洁。"李殊走进了护士值班室。

"呀，李殊，今儿怎么有空找我来了？"

"你上次不是向我借《雨人》的带子吗？"

"啊，对了，我都差点儿忘了，你记性真好。来，快点坐下，那个肖潮龙把钱给你了吧？"

"对，他们现在还在医院吗？"李殊故意语气很随便。

"在，这小哥俩真够瓷的。那楼刚有伤不能大动，这小肖天天给端屎端尿的。他这人还挺神，老给我们讲笑话，我们这儿有些护士，原来特讨厌加班，最近都变了。护士长还直表扬我们。"

"我领教过他的风趣。"

这时，潮龙突然推门走了进来："周护士，你去趟五床。哟，李殊来了。五床的那瓶葡萄糖滴完了，要你换一瓶呢。"

周冰洁拿着一个输液瓶走出了值班室。房间里只剩下了潮龙和李殊。李殊感到自己的心突然怦怦狂跳了起来，脸上也直发烧。

"你好，李殊。"潮龙热情地打着招呼。

"你好，肖潮龙。听说你在这儿混得不错。"

"混？我自认为是个生活态度很严谨的人，这个字儿让我觉得在浪掷青春。"

李殊忙笑着道歉："对不起，这回是我口误，大概是喝了你的黄连水儿的缘故。"

潮龙也笑了："你真会以毒攻毒啊。你是来找周冰洁的吧？"

李殊奇怪地望了潮龙一眼："对，我来给她送一盘录像带。"

"什么名儿啊？"

"《雨人》。"

"噢，就是汤姆·克鲁斯和达斯廷·霍夫曼演的那个吧？"潮龙显得很兴奋。

"对，获过奥斯卡奖。你看过？"

"没有，我只是听说过。"

"你是不是很想看？"

"对，我最喜欢看美国电影了。像汤姆·克鲁斯演的《壮志凌云》、史泰龙的《洛奇》、罗礼士的《奇袭贝鲁特》续集。"

"你说的这些，我家里都有，还有《大白鲨》《现代启示录》《美国往事》《猎鹿人》《教父》及续集。"

"真的？！"潮龙兴奋得无以复加，这都是些他渴慕已久而又看不到的片子。

"我可以把这些带子借给你看。"

潮龙一下很丧气："我们家里唯一的媒体设备就是一台看了14年的12英

寸黑白电视机。"

"那你可以到我家去看，我那儿有录像机。"

"会给你的生活带来不便。"

"你已经给我带来一次不便了，我觉得还能接受，你得寸进尺吧。"李殊笑到了心里。

第二天是星期六。到了下午，李殊早早地离开了她的办公室，回到了汇园公寓。进了门她看了眼表，才4点钟。她有些兴奋而又百无聊赖地坐在客厅里。地毯上的一组图案，她居然呆呆地看了很久。忽然她想起了什么，跑到壁橱边，拉开门，将各类饮品，甚至还把一盒古巴奶糖全都抱了出来，放到条几上。她将盛咖啡的大瓶子举到了眼前，不自觉地笑了。她的脑海里不断地闪现上个星期日上午的一些镜头。

"叮咚"，门铃响了。李殊噌地从沙发上蹦了起来，瞥了一眼壁钟，整5点。"他真准时！"李殊小跑着去开门，人还未出客厅，兴奋的声音已飘了出来，"来了——"

"你好，李殊。"潮龙笑容可掬地站在门口。李殊一拉他的手："快进来，你怎么把点掐得这么准？"

"我4点半就从医院出来了，一想反正道儿也不远，就顺着四环路遛达过来了。"

"把你那位朋友丢医院里没事啊？"

"他现在基本没什么事了，可以下床走了，正好今儿他一个住和平街北口的同学去看他，我就只好玩回不局气的，独自来享乐了。"潮龙说着，一眼看到了条几上的瓶子阵，"嚯，这是要干吗呀？"

李殊把他推到了沙发上："今儿让你一次喝个痛快，水我管够，形式自助。"

"那你家的厕所会抱怨我的。"

"不会的，我想它也讨厌寂寞。"

潮龙奇怪地望着李殊，他感觉她今日的神情有些异样："今儿我随你，你喝什么，我喝什么。"

李殊拿起了柠檬茶的瓶子："那就先喝这个吧。"

"我发现你特爱喝柠檬茶。"

"对，我喜欢它甘甜怡人，清凉爽口。"

"我感觉你是个很会生活的人。你很懂得把生活的空间布置得得体、舒适，调动一切美好的因素，使这个空间淋漓尽致地体现出两个字——幸福。"

李殊得意地笑着："这么诗意呀？"

"嗯，我看不过分。不知你对它有什么感觉，反正我一身居其中，立马儿觉着，外面的世界都太苍白了，它甚至有一种消磨人的意志的魔力。"

李殊忽然用一种挚情的目光望着潮龙："你对它感觉那么好，可以经常来体验一下呀。"

潮龙迎着她的目光望着她，沐浴在一种温暖的感觉中。

李殊打破了沉默："哎，你看过《走出非洲》吗？"

"没有，梅丽尔·斯特里普的，对吧？"

"对，那太棒了。我今儿刚把它借来，我也没看过，咱们先看这个吧，我昨天对你说的那些带子，我会安排适当时间给你播出的，你不反对吧？"

"不反对。我听说《走出非洲》是一部田园诗风格的片子，我也很喜欢这类片子。"

"那就达成共识了，咱们这样，刚才下班回家的时候，我在麦当劳买了几个汉堡包，我先放到微波炉里热一下，然后沏上柠檬茶，咱们边吃边看。晚餐比较简单，你不介意吧？"

"哪能啊，你安排得妙极了。"潮龙再次感到李殊是个很会制造情调的姑娘。

"那你先把带子倒上吧。"

"恐怕你得教给我。"潮龙有些尴尬地说着。

正如潮龙所言，《走出非洲》是一部充满了大自然情趣而极富温情的影片。

炙热的非洲原野及丛林风光使人目光流连，潮龙和李殊都很快陷进了影片中的意境。当影片的后半部，梅丽尔与她的情人历尽曲折终至重逢互道衷曲时，两人都深深感到一股感情的激流在心中涌动。当梅丽尔与情人在海边的篝火旁倾心交谈之后，前后走进帐篷时，潮龙与李殊情不自禁地互相对望了一眼。影片的结局很哀怨，梅丽尔的情人飞机失事身亡，即将开始的新生活被击碎，在梅丽尔孤独凄哀的背影中，影片走完了尾声。

影片制造的余韵还深深地弥漫在两人的心里。借景生情，他们都感到了命运给予俩人的强烈暗示。

潮龙能感到李殊正用一种深切的目光在凝视着他。他能意识到他们之间可能要进行的话题。他忽然将话题引到了影片中的自然风光上。

"李殊，我觉得外国人活得真是洒脱。他们能让自己的身影出现在世界上任何一个角落。从极地到冰川，从热带海岛到原始丛林，从各种丰富的历险中体会不同文化背景、宗教、风土人情，真是绚丽多姿的生活呀！"

"是啊，相比之下，我们中国人就活得要苍白得多了，整天周而复始地有节律地运作着。城市文明使我们越来越远离自然的情趣，就像赵传歌里唱的那样，我们生活在钢筋水泥的丛林里。"

"确实如此，城市文明给予我们的压力真是太大了。有时真想像佛教里说的那样'跳出三界外，不在五行中'。"

李殊忽然兴奋地建议："潮龙，干脆咱们也去大自然里陶冶一下情趣，忘怀一番，怎么样？"

潮龙显然被这个建议激动了："太棒了，这阵子发生的一系列事，都快把我折腾晕了，我也真想松弛一下呢。"

"咱们去哪儿？"

"嗯……你去过怀柔水库吗？"

"没有，那儿有什么好景色吗？"

潮龙一下兴奋地跳起来："嘿，那你跟我走吧。我曾经在水库边上的一个小宾馆做过水暖工，那会儿我就住在那儿，天天没事了就跑到水库边去玩。水库边上有一个天然的小岛，那礁石就跟大海上的岛屿中的礁石一样一样的。水库中间还有一座妈妈山，每逢雨过天晴，我总到水库边上去遛达，呼吸着那清新的空气，绝对是高纯度的，看着被雨水冲刷得清晰明朗的秀水碧色，心胸开阔极了，真恨不得想融进去！"

李殊顿时被感染了："太美妙了，我好像已经看到它了，明天是星期日，咱们一早就去。"

"行，你在家等我，我来找你。"

"几点？"

"嗯，8点吧。"

"一言为定！"

潮龙走到了四环路上，他禁不住回头望了一眼汇园公寓的方向，心中荡起一种从未有过的愉悦。他幸福地意识到，他找到了他的伊甸园。

第二天潮龙一进门，就见李殊卧室的床上堆着一大堆衣物。

李殊问道："昨天我忘了问你，那儿能游泳吗？"

"呃，名义上说不能，但有什么东西可以阻止浪漫呢？"

"好的，你看我穿这件泳衣好看吗？"

"嘿，嘿，嘿，能换件保守点儿的吗？"

"怎么？你认为我不适合穿三点吗？"

"如果你非要坚持的话，那我劝你最好先去买一瓶黄色染发剂和蓝色的眼影，这样那些惊奇的目光就会落在我的身上，而不是你。"

李殊笑着拍了一下潮龙的头："那我把你也给染了。"

潮龙虚张声势地说："他们要是要求看我们的护照怎么办？"

"那我会用阿尔巴尼亚语对他们说'滚开'。"

"你能教我两句吗？"

"其实很简单，你只要说一串连自己都听不懂的嘟噜话就行了。"

"好家伙，整个俩蒙事混血儿。"

李殊忽然望着两手空空的潮龙问道："你没带泳裤吧？"

"我游不了，我头上还没拆线呢。"

"哎呀，我一个人游什么劲呀，哎。我有办法。"李殊说着抄起一顶泳帽戴在了潮龙头上，"这下解决了。我准知道你没带泳裤，这是我哥的，你穿上吧。"

走出公寓来到大街上，李殊站在马路牙子上不走了，随即左顾右盼。潮龙奇怪地问道："哎，走啊，你看什么呢？"

"我拦辆的士呀。"

"我的天呀！算了吧，跟我到东直门长途汽车站坐小公共去吧。从这到怀柔那么老远，打的还不得狠榔你一下啊。有那钱到水库买十几条鱼带回来成不成。我说李殊，今儿我是导游，你必须无条件服从我。你想不想跟我品尝一下穷欢乐的滋味？"

李殊愉快地顺从了。

等到俩人到怀柔时，已经是中午了。潮龙提议："李殊，想不想到我打工的地方去看看，说不定还能蹭顿午饭呢。"

"午饭有凉菜吗？"

"怎么想起问这个？"

"我怕吃出指甲盖儿来。"

"你放心吧，他们都已经截肢了，现在是用机器切。"

"那会不会吃出一个螺母来？"

"李殊，我可要愤怒了。为了让你吃顿饭，我把我那些厨房里的哥们儿手都剁了。你要再挑，我只能把我脑袋塞到你嘴边让你啃了。"

"那得先上屉蒸一下。"

潮龙哭笑不得，李殊开心地看着潮龙的难过样不住嘴儿地乐着，像是真的看到了潮龙头上的团团蒸气。

他们果然蹭到了一顿丰盛的午餐。餐饮部的哥们儿热情地在餐饮部的办公室里为他们摆了一桌美味的川菜。细致的李殊将早已准备好的几包万宝路拿出来分发给潮龙的这些老战友。

他们终于站到了碧波荡漾的水库边。蓝天白云倒映在波光粼粼的水面上，点点渔舟正在撒网捕鱼；浩荡的水源自南而来，环绕水库中央苍翠碧秀的妈妈山一周。水库的堤岸宛转曲延，自然错落，衬托出整个水库浩荡的气势。

李殊此时已身着泳装，站在了小岛边上的一块礁石上。水波的微浪轻轻地撞击在礁石的底部。李殊伸臂抬腿地活动着四肢。潮龙站在礁石下方不远的地方，着迷地凝视着李殊的身影。她的身材实在是美极了。身体的曲线在蓝天作衬的背景下，投下一个健美的剪影。灿烂的阳光投洒在她那波涛般的长发上，沿着头部的轮廓勾镂出一圈金色的光影。

此时，李殊转头冲潮龙嫣然一笑，随即奋力一跃，扎进了水里，潜出了十几米后才露出头来，冲着潮龙摇臂大喊："嘿！你说对了！我喜欢这地方！快游过来呀！"

潮龙也站在了那块礁石上冲着李殊大喊："你别游太远了，水库里有食人鲨！"

李殊大笑着回答："没错，我看见了，就站在那块礁石上呢！"

潮龙大喊一声："那我吃你来了！"随即也一头扎进了水里。

两人很快游近了，李殊在水里猛地一蹿，一下撞进了潮龙的怀里。他立刻像触电一般在水里一抖，一股兴奋的热流涌遍了全身。他一把扶住她的双肩用力一抱，他感到了她丰满胸部的撞击。李殊深情地望了他一眼，随即使劲向下一沉，没到了水里。潮龙感到双脚被她抓住了。他狼狈地蹬踏着，少顷，他感到束缚消失了，正茫然四顾。李殊从侧面冒出了水面，使劲地用手向他击打浪花。

潮龙一边回击，一边问："我看你水性不错，受过训练吧？"

"对，我在少年宫游泳队练过5年。"

"那我还是离你远点儿吧，我就怕跟会水的一块儿玩，我上次离开水时的记忆是肚子里存了5斤水。"

"你不是食人鲨吗？"李殊一边说一边仍不停地进攻着。

"李殊，饶了我吧！我都快把中午吃的家常牛肉、干煸鳝丝吐出来了，弄脏了水库，首都人民会生气的。没准哪天你一开水龙头，流出来的就是我吐的东西。"

"那我就用这脏水沏咖啡给你喝。"

"那我以后带着水壶去你们家。"

··········

他们在水库里尽情地折腾了一下午，将近黄昏的时刻，他们双双坐在一块大礁石上，欣赏着日薄西山的水库。

西斜的太阳渐趋昏黄，柔和的光芒给视野中的万物披上了光彩。

李殊忽然指着水库中央的妈妈山问："潮龙，你去过那山上吗？"

"没有，我在这儿上班的时候是春夏，那山太远，要游过去恐怕得近1小时，通常人们都是等冬天水库水面结冰后走着或骑车过去。"

"太遗憾了。"

"怎么了？"

"现在要是能到那山上去看落日，一定很美。"

潮龙见到李殊脸上充满了渴望，他真不想让她失望。他想了想："或许有办法。"

"有什么办法？"

潮龙站起了身："你先穿衣服，我看能不能找条渔船。哈！刚好有条渔船靠岸。我去一下就来，你动作快点。"潮龙匆忙地从包里拽出自己的裤子套上，一边系着腰带一边向小岛的另一侧奔去。

在小岛的另一侧岸边，一个30岁左右的收网归来的渔民正在把网上的鱼择到一个水桶里。潮龙跳到了他的身边。

"嘿，朋友，我和我的朋友想到那边妈妈山上去看落日，你能用船把我们送过去吗？"

"不行了，我得回家吃饭了。"

"嘿，等等，等等，朋友，还有比回家吃饭更有趣的事情。你说吧，要你改变主意需要多少钱？一张？二张？你见过外汇券吗？"

"呃，听说外国人手里才有那玩意儿。"

"好吧，你听我说，要是你能赶在太阳落山前把我们送到那山上，那你就是外国人了。"

此时李殊已穿上了一件宝石蓝的毛巾浴衣提着包来到了船边，听到渔民同意协助她完成这个浪漫设想，她激动得跳了起来。看到她那高兴的样子，潮龙感到非常兴奋。

他们的头刚在妈妈山的山顶上冒出来，就被灿烂的晚霞映红了。此时山上只有他们俩，四周蛙鸣蝉响，水库的浩荡一览无余。红彤彤的夕阳，像熊熊燃烧的火球挂在西方的天际上；那晕眼的红色，在视觉上投下一种朦胧欲醉的感觉。

李殊完全陶醉在了这神工鬼斧般的景致中。她不自觉地靠在了潮龙的左肩上，轻轻地感叹着："真是太美了，比我想象的还美。"

李殊转过脸，深情地投入潮龙的视野。

潮龙感到一股无法抑制的激情瞬间燃烧了全身。他用手拽开了李殊系着浴衣的结，把手伸了进去，他触到了她细腻而富于弹性的肌肤，沿着她纤细的腰肢到了背后，然后猛地将那玉体揽在了怀中。

最后一抹余晖投到了妈妈山上，淹没在了那狂潮般的激情中……

外汇券及购买10条鱼的诱惑，使渔民以惊人的毅力完成了等待。当俩人回到怀柔县城的时候，已是万家灯火了。现实的无奈使潮龙只好顺从了李殊，他们乘上了一辆的士，踏上了返城的路途。

在李殊的提议下，潮龙心甘情愿地回到了汇园公寓。在享受到了丰盛的鱼宴后，潮龙开始完成他的美国优秀影片观摩活动系列之二。这天晚上，李殊为他安排了《教父》。这部反映意大利裔美国黑手党家族争斗的影片给潮龙留下了触目惊心的感觉。他对于影片中揭示的这种处在人人自危的生存环境中险恶微妙的人际关系，显然没有深刻的感受，但他相信，它肯定产生于生存矛盾激化后的一种生存格局。这种感受随着他日后对于商界及整个社会介入程度的深入，而显得愈发强烈起来。

一整天浪漫中的辛劳，使他终于扛不住 3 小时的片长，他不知不觉地卧倒在客厅中的长沙发上睡着了。

李殊小心翼翼地走到电视前，关闭了录像，然后轻轻地走到潮龙的身边，静静地望着沉睡中的潮龙，目光中充满了温柔与爱怜。她不想惊动他，她希望看到他在她的世界里尽可能多地待些时间，如果此时叫醒他，他一定会提出离开这里回到医院去。

她轻轻地走进卧室，取出一条毛巾被，回到客厅，小心谨慎地盖在潮龙身上，然后走到空调机前，将风量调小，随后又静静地凝视了一会儿潮龙，才缓缓地回到卧室去。

躺在床上，她却困意全无。她回想着白天在水库玩耍时的情景，一股惬意的快感袭遍了全身。尤其是妈妈山顶上，那置身于广博的大自然中的美妙感觉，还有他那热烈的唇。李殊忽然感到脸热心跳起来，她情不自禁地摸了一下自己的唇，那能融化一切的热烈的吻，仿佛仍清晰地落在上面。她又感到那股热流在她体内涌动了起来，随即全身产生了一种酥软的感觉。她感到根本无法控制它，她在一种煎熬般的感觉中挨了很久，精神愈发亢奋了起来。她起身看了一眼床头柜上的闹钟，已是凌晨 3 点了。她猛然意识到，再过几小时，就要把这一夜送走了，也将把那个睡在客厅里的人送走了。她忽然被一种冲动驱使着，从床上坐了起来，拉开了卧室的门，向客厅走去。

潮龙在沉睡中忽然听到了一阵轻盈的音乐，他猛地睁开了眼，见客厅里一片漆黑，只一瞬间，他找回了记忆。他一下从沙发上坐了起来，在黑暗中，他看到李殊正蹲在音响前摆弄着键钮。

"我怎么睡过去了？"他自问着。

"把你吵醒了吧？"李殊回头温柔地说了一句。

"现在几点了？"

"凌晨 3 点。"

"你怎么不睡？"潮龙这才看清李殊穿着一件白色的丝质睡袍。

"我睡不着，想听听音乐又把你吵醒了，哎，你继续睡吧，我回去了。"说完，她慢悠悠地向卧室走去。

潮龙重又躺了下来，他感到李殊的举动很古怪。片刻，他忽然觉得尿急，便起身向厕所走去。

厕所的灯光使他困涩的双眼清醒了许多。他走出厕所，往客厅走去。路过李殊卧室的时候，他猛然发现，卧室的门敞开了一个拳头宽的缝。只瞬间的惊奇，他便意识到了什么。顿时他的全身被兴奋点燃了，他推开了那道门。

李殊正用一双明亮的大眼睛望着他。潮龙站在门口盯着她："你忘了关门了。"

"或许我是防君子不防小人。"

"不幸的是，站在这儿的是个小人。"潮龙说完走进了门，随后关紧了它。他走到了李殊的床头。

卧室中静寂的空气霎时被撕得粉碎……

天蒙蒙亮的时候，他们才平静了下来。

两人紧挨着平躺在床上，李殊仍带着微弱的喘息抱怨着："我现在一点都不奇怪你拦车时那凶神恶煞的样子了，这是一种本性的东西。"

潮龙侧过身，凝望着她："你还好吗？"

李殊也侧过身来，将右手贴在潮龙的脸上，温情地柔声道："我得适应你。"

潮龙伸出右臂从她的颈下掏过去，然后将她的头揽过来，使她的脸贴在自己的胸膛上。

他们相依偎着又昏昏然睡了很久，再睁眼的时候，天已大亮了。望着从窗帘缝隙中刺入的光线，潮龙说："你该上班去了。"

李殊懒懒地答道："我可以晚点儿去。我工作的时间比较自由。"

潮龙忽然轻叹了一声："唉……"

李殊抬眼望了他一下："怎么了？"

"我要是有你这样的心态就幸福了。"

"你现在不是也挺好吗，你的伙伴有护士照顾。"

"我的脑子要是老想这点儿简单的事情就完蛋了。"

"又想你的事业了？"

"我现在哪有事业可言，我现在的样子让我有种恐惧感。还记得我曾对你说，这个空间有种消磨人的意志的魔力吗？现在不光它，连你也开始让我有一种欲拔不能的感觉了。这对于一个连未来走向都无法确定的人来说，是多么可怕的事情。跟你在一起时的快乐感觉像麻醉剂一样令我浑然忘怀一切，但每当一阵欢乐告一段落时，那种要面对茫然世界的恐惧感，又向我袭来。我现在已经不能再回避它了。从出事到现在已经半个多月了，我还没有开始从事一种长期稳定的挣钱行当，我这不是等死吗。"潮龙的声音充满了忧郁。

李殊抬起头来，用肘撑住了上身，同情地望着潮龙："对不起，我不想让你这样的。你现在想，马上就想，下一步该干什么，我也帮你想。"

"太具体的也没有，反正我是不想再去做街头小生意了。我跟楼刚初步商量了一下，准备干干实体，包一个小厂子什么的。"可什么类型的还没想好。

"服装厂。"李殊挺坚定地建议着。

"服装厂？"

"对，你看，衣食住行。衣被排在首位，可见其在人的生活中的地位是多么重要。我是干这个的，我最明白，无论人高低贵贱，他都得穿衣，它的市场潜力是无穷的。"

潮龙开始兴奋起来："嗯，很有道理，可我对服装一窍不通。"

"学呀，哪有什么东西一看就会的，再说守着这个老师呢，你连学费都不用交。"

"那你说我该怎么干呢？"

"现在北京的服装市场非常活跃，服装公司及厂家也多如牛毛，竞争得很惨，连我们这样专业搞设计的都不能说每一款投入市场就能畅销，所以对于像你这样的生手来说，起步应当谨慎。办服装厂最稳妥的就是以加工为主。你如果包下一个厂子后，可以揽一些机关、厂矿、饭店等的工作服什么的，先把厂子养住，同时还能丰富你的专业技能，等有一定的实力，再设法搞时装产品投放市场。"

潮龙连连点头，他以赞赏的目光盯着李殊："其实，你对市场有这么好的分析眼光，真应当去继承你父亲的事业，成为一个女强人。"

"我说过我讨厌商业，要不是你，我才不说这些呢。"

潮龙连连点头："好，好，你继续说。"

"如果你要包厂的话，最好别在市内。市内的国营企业多，各项税高，退休职工多，劳保负担重，你根本驾驭不了。据我所知，在京郊，像什么顺义、平谷之类的地方，有很多乡镇服装厂，良莠不齐，发展不平衡。由于很多是由农民自行管理，缺乏疏导和先进经验，倒闭的和濒临倒闭的厂子肯定很多，你就要找这样的厂子，即便找到了厂子，你也要先看看设备情况，设备俱全才行，因为很多客户都非常重视厂子的生产条件，这关系到产品质量。服装厂的生产设备一般有平缝机、包缝机、钉扣机、锁眼机、整烫机、蒸汽熨斗……"

"等等，李殊，我拿笔记一下。你这儿有纸笔吗？"潮龙已经完全投入了。他刚要起身，就被李殊按回了床上。"你就躺着别动，待会儿我给你写下来交给你。"她觉得肘支累了，又躺在潮龙怀里，"另外你还要特别注意设备老化的问题，别做着半截活，机器坏了，花钱修是小事，耽误了工期可就麻烦了。基本上就是这些，听明白了吗？"

"听明白了，李殊，有朝一日我成了服装大亨，你就是我感激的第一个恩人。你真是太伟大了，不仅救了我们的命，还救了我们的运，你真是我的命运女神啊！"潮龙心里充满了一种踏实感。

李殊望着他那神采焕发的样子，从心底涌起一股喜悦之情："先别太乐观，等你当了厂长再感激我吧，噢，还有，包厂一定需要钱，我可以……"没等她说完，潮龙便严肃地打断了她："听我说李殊，我知道你有钱，但我不希望你在我的生意中投一分钱。第一，我不想让我们的关系沾上利益。第二，我知道你讨厌商业，如果不是因为我，我想你肯定连想都不肯想在商业上投资的事。我尊重你，是因为你独立，如果你因为我去强迫自己干自己不愿干的事情，那我会对你失望。第三，属于我自尊心上的因素，我不希望将来有人在介绍我成功经历的时候，说我是靠亿万富翁的女儿帮助才发家的。这样我会终生在这种阴影中抬不起头来。我希望有朝一日，我可以自豪地对所有人说：'我肖潮龙凭着自己赤贫的双手建造了属于自己的财富王国。'另外一点，我这人很宿命。活该我这辈子能发达，什么也挡不住我。活该我一生潦倒，守着金山我也搬不走。在辉煌大厦的顶上，我两次把命交给了上帝，他两次都还给了我，这使我相信，我不是个穷身贱命的人。冥冥之中，我总觉得，我经历的一切苦难都是上帝开给我的成功账单上的内容。我不知道我已在那上面勾销了多少账，但我相信，总有一天我会在那上面画上最后一个钩的！"

李殊的泪流到了潮龙的胸膛上，她第一次在他的面前表达了心痛的感受。良久，她声音有些凄哀地说："我知道你是办起事来很认真的人，以后你忙起来，是不是就很少会来我这儿了。"

潮龙的声音也很难过："我不知道。"

李殊抬起泪眼："至少让我一星期见你一次，好吗？就一次。"

"好，我答应你！"潮龙重重地点了一下头。

离平谷县城关镇长途汽车站不远，便是平谷县乡镇企业局。这是一座3层楼的建筑，另外还有几家平谷县的事业单位也驻在这里办公。

潮龙同楼刚上到了 3 楼，找到企业局下属的计划科。开门的是一个 30 岁上下的中年妇女。潮龙客气地问道："请问您这里哪位是负责同志？"

"你们什么事啊？"那妇女一口的平谷口音。

"噢，我们是从北京来的，想来平谷承包办厂，由于不了解平谷的厂家实力及分布情况，所以想到咱这企业局打听一下。"潮龙答道。

"噢，那你们请进吧，你们是单位呀还是个人？"

"我们是想个人承包。"

"那你们以前是干什么的，办过厂子吗？来，请坐。"中年妇女说着把两人让到了一张办公桌旁的椅子上，并开始沏茶倒水。

"我们俩原来都是市内一家服装厂跑供销的，大锅饭吃着没劲，又挣不了多少钱，趁着年轻，就想出来折腾一下。"楼刚按照两人事先商量好的词儿抖着，因为他们怕没有资历，受到轻视。

"对，都说平谷这儿人杰地灵，党的富民政策的光辉普照村村寨寨的，所以我们就慕名而来了，决心把我们的汗水浇灌在这片沃土上。"潮龙诚恳地补充着。

"那好啊，我们欢迎。"中年妇女将两杯热茶放在两人面前的桌面上。

此时潮龙注意到办公室里还有 3 个年轻的女孩和一个中年男子，看他们的漠然样子，潮龙意识到这位中年妇女应该是个领导角色："请问您贵姓？"

"我姓关，你们要了解的事情就归我负责。"

"那麻烦您了关师傅，您多费心。"两人同时表白着。

"你们想了解什么呀？老有人像你们似的来我们这里了解情况，既然你们想承包，就提提条件吧。"

"我们想麻烦您给我们提供一个设备比较完善，生产条件说得过去，但是由于经营不善，濒临倒闭，或者干脆已经赋闲的厂子。"潮龙把李殊叮嘱的话全搬了出来。

"最好给我们拉一单子，我们挨个去看看。"楼刚补充着。

"哎，对，对。"潮龙附和着。

"哎哟，平谷那么大，厂子那么多，你们一天也看不过来呀。你们是开车来的吗？"

"不是，我们坐长途来的。地大没关系，我们反正也做好了多转悠几天的准备，刚才在马路对过儿，我们看见有租自行车的，代步不成问题。"

"你们可真行，要骑自行车，在厂子里连看带谈的，一天能跑仨厂子就不错了。"

"没关系，反正我们迟早会和平谷人民融为一体，多跑跑还能熟悉一下生活。"

关女士显然被两个年轻人视苦若等闲的精神感动了，她拿出了一个平谷县乡镇企业花名册和一张平谷县的平面图。他们探讨之后，决定以脚下的城关镇为出发点，向几个附近的乡，也就是平谷县的西北部地区进发。潮龙很快地抄好了一个苟延残喘的厂子的名单。告别了关女士，他们走出了企业局。

交了100元押金，他们租到了两辆旧自行车，踏上了旅程。

潮龙一边骑一边关切地问着楼刚："楼刚，你身子行吗？今儿道儿可不近呢。"

"早没事了，现在放屁都嘭嘭的。"

"那肚皮给你缝严实了吗？别到时放屁的时候前面漏气。"

"等我下回放屁的时候，你凑过来闻闻就知道了。"

"哎，我听说人的元气都在那肚子里呢，有一穴位叫丹田，那孙子这一刀得给你放不少吧？怎么样？最近是不是觉得阳萎了？"

"潮龙你别气我啊，你找着败火的地儿了是不是？"

"别胡说八道！"

"你老实交代，上礼拜日晚上你没回来干吗去了！第二天我一看你怎么那么累呀？是不是和李殊过了一个难忘的春宵啊？"

"人家可是你的救命恩人，你嘴上留点德吧。"

"不管怎么说,你得谢谢我,没我做出牺牲,你怎么会认识她呀?怎么样,瓷到什么地步了?"

"瓷到让我害怕了。"

"害怕?"

"当你从的士里钻出来的时候,是女士为你付账,你就明白了。"

楼刚默然了。

日头西斜的时候,他们已骑出了 100 多里地。为了加快遴选速度,他们罗列了几条要素,到了一家厂子,先问,一旦某条不理想,磨头就走。结果跑了七八家厂子都不理想,不是短设备就是厂房陈旧,有的厂子甚至都改成了场院。过刘店乡的时候,已经是下午 5 点了,名单上只剩下最后一个地址——大华山乡。

通往大华山乡的道路是一条向北偏东的宽约 5 米的马路。为躲避经常疾驶而过的机动车,他们不时地要骑到马路下的土道上去。潮龙扭头看了一眼跟在后面的楼刚,发现他已满头大汗,气喘吁吁,累得没有说话的力气了。潮龙给他鼓着劲:"楼刚,最后一站了,苍天有眼,咱就跟那儿歇菜了。"突然从头顶传来一阵喜鹊叫,两人一抬头,见两只喜鹊正落在他们头顶上的杨树权上。两人兴奋地对望了一眼。此时,静静的马路上只有他们两个骑车人。楼刚来了兴头:"嘿,吉照,喜鹊当头叫,老天爷还发咱俩一人一只。走,蹬起来!"

他们终于停在了小裕子村的华诚服装厂的铁栅栏门前。单一看那 4 排整齐的平房,他们就有了一种由衷的好感。整个厂院显得宽敞整洁,每排平房中间全都是方砖地面,在栅栏门里的一块小广场上还有一个花坛。

他们刚推车从一个旁门走进厂院,就见一个 40 多岁的中年男人从门边的传达室里跑了出来。

"你们找谁呀?"

"我们是从北京来的……"

没等潮龙说完,那男人就热情地接过话去:"噢,是来看设备的吧?"

"对，对。"两人同时答道。

等两人将车在传达室前支好，那男人就热情地引领两人向厂房走去。一边走，一边热情地介绍着："我们厂的设备全都是进口的，才使了一年，还挺新的呢。"

"这厂子成立多久了？"楼刚问。

"也是一年，我们厂是跟英国合资的。"

"合资厂子怎么倒闭了？"潮龙感到很惊奇。

"嗐，本来跟人家先签了一个 5 年合同，结果才干了一年，那个英国公司在我们这儿加工的产品没能在国际市场站住脚，一看不妙，他们就先撤了，赔了点合同违约金，就把这厂子甩给我们了。"

"噢，是这样。"潮龙跟楼刚对望了一眼。

说着话，那男人已把厂房门打开，3 人走了进去。果不其然，车间里一水全是看上去还很新的进口设备，车间内的环境也很整齐、干净。

"那边几排厂里的设备也跟这一模一样。你们看看，大概齐估个价，多点少点再商量。北京跟这儿支票通用，结算方式用支票就行。"

潮龙跟楼刚都听糊涂了："您先等等，您说什么哪？又估价，又支票的？"

那男人也糊涂了："你们不是来买设备的吗？"

"哎呀，您误会了，我们是来承包办厂的。"

那男人恍然大悟，随即摇着头说："那全岔了，我们现在不想办这个厂了，只想把机器设备都卖了，腾出厂房来，办一个金属轴瓦加工厂，生产汽车配件。"

"那多可惜呀！这么多现成的设备，又有熟手的工人，继续干下去不是很好吗？"潮龙遗憾而又不解地说。

"现在服装很难干，我们又不会经营，所以村支部开会一研究，决定转产。这个金属轴瓦的加工厂是跟一家大型汽车配件厂联营，他们提供技术、原料，我们出设备、加工，产品全归他们包销，这样稳当。"

"这太得不偿失了。服装市场潜力这么大，你们不该放弃。"

"您跟我说也没用,这都是村支部开会研究通过的。"

"您原来是这个服装厂的吧?"潮龙问。

"对,我一直在厂里负责生产。"

"您贵姓?"

"免贵,姓朱。"

"好吧,老朱,我想您一定很想继续干您的老本行吧?"

"想也没用,我做不了主。"老朱挠着头。

"告诉我,谁能决定把这厂子留下来?"

"那你恐怕得去找村支书了。"

"他叫什么名字?"

"于凤楼。"

"请你现在就带我们去找他,他一定就住附近吧?"

"对,就住村里,那我带你们去吧。"老朱说着领两人走出了车间,反手销上了门。

从老朱的介绍中,两人得知,于凤楼是一位为中国革命曾立下汗马功劳的离休军队老干部,由于他见多识广,所以一回到老家,就被村里人公推为村支部书记。

他们走进了一座农家的院落。这是一座由前后两进房屋构成的院子,中间有一块 50 多平米的庭院,院墙边有许多盆花儿,想必是这位老革命闲情逸致的体现。

走进北边的房间,在正堂,他们见到了于凤楼。老朱把两人的来意介绍了一下,拒绝了于凤楼的挽留,出门回家去了。

于凤楼不愧是行伍出身,一米八的大个头,身材魁梧,由子晚年发福,挺着一个大将军肚。

二人落座后,老于嘱咐儿媳给两人泡茶。

两人把自编的履历,又向老于生动地描述了一番,随即,潮龙开始了他诚恳的游说。

"于老，我们俩上午从城关出发骑到这儿已有 100 多里地了。沿途我们考察了许多厂子，结果认为您这个华诚服装厂是最理想的。您看，设备是进口的，生产条件与环境都不错，工人们还有一年的外贸活儿的生产经验，多么得天独厚的现实条件，如果善加利用，将对我们村儿的经济利益产生不可估量的贡献。据我所知，纺织工业在我国的轻工产业中起着龙头的作用，是我国庞大的经济力量中一支不可忽视的生力军。而服装企业正是这支生力军的集中具体的体现。在乡镇企业的发展中，它更是一种具有广阔发展前景的无烟工业。您要是把这厂子给关了，无疑是把手中的金娃娃给摔了。"

于凤楼未置可否地听着，随后说："我明白你说得都很有道理，但我们村有我们村的具体情况，我们就认为，继续办这个服装厂，我们在业务上是弱项，而业务又是维系一个厂子生存的关键条件。如果我们搞金属加工，至少能维持厂子生存，还能解决村里的许多剩余劳力，你知道吗？这个厂子现在还亏着 30 多万呢！"

"我非常理解您所说的华诚厂的现实处境，但我认为困难是可以通过努力而得以解决的。咱们可以先就您对华诚厂的两种前途选择进行现实的分析。如果办金属加工厂，显而易见首要问题就得先把现有的所有服装设备变卖掉。您认为可以在基本体现这些设备的相对价值的条件下回收资金吗？这不太现实吧，一下在这些设备上您又损失一笔财富。本来 30 万的窟窿就不小了，您又给挖一块。紧跟着又得进设备，又是车床，又是冲床，安装调试完毕，还得对工人进行技术培训，据我所知，汽车配件是一种高精密度的金属元件，质量要求相当高，您估计您的工人需要多长时间能和那些从汽车专业学校毕业的技术工人相媲美？那汽车配件可不比服装，服装上针脚大点小点看不出多大问题，那汽车关键部位零件要短个尺寸，那车还不得撞墙上去呀。所以我认为以你们的条件办这个金属轴瓦加工厂是不太明智的。然后我们看看服装厂存在下去的情形，条件完美，工人们由于做过一年外贸活儿，技术素质高，一接到活儿，

马上就能进入工作状态，根本就不需要有适应的过程。"潮龙慷慨陈词，老于
有些沉吟了，但他仍有些迟疑地问道：

"你们怎么对办好服装厂那么有信心？"

"嘿，于老，常言道'没有金钢钻儿，不揽瓷器活'，我们是做了充分的
准备才来跟您谈的。我们还有一个设想是，虽然由我们来承包，但我们希望由
村支部派一个人来监督管理我们的经营状况，这样能建立村方对我们的信任。
比方说现在我就特别希望您能来厂里扮演这个角色。您可以对我们的一些经营
决策，行使否决权。您就是董事长得了。"这是潮龙的一个心计，他试图让村
中的一个决策人物介入厂子的经营。这样，能使村方仍觉得他们对厂子拥有主
导权，在今后的投资及资金筹措上使他们感到责无旁贷，从而使潮龙和楼刚在
承包投资问题上，回避开尴尬的经济状况。

此时老于连连摇头："别开玩笑了，我这把年纪还当什么董事长。"

已经到了关键时刻，潮龙决定穷追猛打。

"于老，我能问您今年高寿吗？"

"我都 55 了，说话就奔 60 了。"

"您才 55 啊，不就是刚过了知天命的年龄嘛，60 不才花甲吗。您看那报
纸上，三天两头的人物专访，什么"古稀之年犹勤奋"，"耄耋老翁重抖擞"，
"老牛明知夕阳晚，无须扬鞭自奋蹄"。您说您要是跟那些古稀、耄耋们站在
一块儿，人家还不得拍着您的肩膀叫您一声'小于'啊。于老，刚才我从老朱
嘴里非常崇敬地得知，您是一位为党和人民的无产阶级事业贡献了大半生精力
的老革命，离休前，好歹也是权倾一方的官贵，而今退下来了，为什么不能为
我们国家的社会主义现代化经济事业再次贡献余热呢？古人尚有'居庙堂之高
则忧其民，处江湖之远则忧其君，是进亦忧，退亦忧，然则何时而乐耶？其必
曰：先天下之忧而忧，后天下之乐而乐'这样高风亮节的写照，于老您为什么
不能以一个老布尔什维克的身份为范仲淹范老这一千古名句做一最光辉的注脚
呢？更何况，以于老您这样的资深、威望、品行，晚辈我虽出世入世三回，亦

不能望您项背。于老！晚辈诚恳地请求您，用您的余热再温暖我们一回吧！"潮龙激情盎然的劝说使老于也有些激动了起来！他问潮龙："你想让我们怎么做？"

"马上恢复服装厂的生产秩序，调整好生产班组，另外希望村里对厂里做一些投资，主要用于先期的劳务开支和购买加工活儿的原辅料。我们负责在短期内使工厂进入生产状态。"

老于点了点头，随即问："那你们能做什么投资？"

潮龙郑重地直视着老于的眼睛："业务能力，仅有的 1500 块钱，和两颗真诚的心。此外，我们仅剩下两张随时面对饥饿的嘴，但它能使我们意识到责任！"

"让我们一起干吧！"老于坚定地说道。

潮龙和楼刚热泪盈眶地抱在了一起。

潮龙一进门，就把一张名片递到了李殊手里。李殊接过名片，兴奋地大声念着："北京华诚服装，肖潮龙，厂长，太棒了！祝贺你！"说着热情地拥抱了一下潮龙。潮龙也很动情地说："这都是你的功劳。你知道吗，从北京到平谷的长途车上，我就像上学时温习课本那样，反复在心里背着你对我讲的那些概念和要领，总算没穿帮，以后就要玩真的了。"

"好的开始是成功的一半，我带你去一个好地方，咱们好好祝贺一下。"李殊兴奋地建议。

"什么好地方？"

"西单那儿新开了一个'蟾宫'咖啡屋，听说特有情调，咱们今儿到那儿度周末去。"

蟾宫咖啡屋位于西单北大街靠近十字路口的东侧。这是一座双层建筑，外形古朴典雅，一层是大众冰淇淋室，全部是大众散席。李殊所指的情调体现在二楼。一条宽不足两米的窄梯上铺着红地毯，一直延伸到二楼。在二楼的楼梯口有着一个圆形的雕花月亮门，上悬一块隶书体书写的"蟾宫"两字的匾。"蟾宫"里是一个约 80 平米的厅堂。在厅的中间，是光线最强的地方。五颜六色的迪斯科彩灯聚焦在一块仅 5 平米的小舞池，圆形舞池被一圈黄铜栏杆围着，有 3 个出入口。舞池比整个厅的地面低出一尺。厅内的大部分面积都错落有致地分布着两人对席，中间也夹杂着几个多人对席。光源是从几个分布在过道边上的光照彩屏中发射出来的，彩屏上印着很多国际城市的夜景照片。光从屏内照出来，使照片显得逼真而生动，蓝幽幽的浅光，像电影中的背景灯光一样微弱地散布在黑暗的空间里。在两面墙壁上嵌着两块录像屏幕，播放着一些世界风光片，及轻柔的卡拉 OK 歌曲录像片。

潮龙和李殊挑了一个深处的地方落了座，服务小姐马上走过来，递上了两份酒单，并将桌上的蜡烛点燃。潮龙注意到，蜡烛的形状是一个苹果，灯芯就是苹果上端的小棍儿，这个苹果漂在一个盛水的小盆里。

李殊点了两客冰淇淋、两份西点、一杯柠檬茶、一杯咖啡。她已经熟知了潮龙的口味。

此时，厅内的其他坐席上也坐着很多卿卿我我、喁喁低语的情侣。舞池中有一对情侣正随着音乐慢舞。缠绵得像拉丝一样的立体声音乐轻柔地弥漫在幽暗的空间里。此时播放的是一支萨克斯演奏的低沉忧郁的叫作《今夜心醉》的曲子。

李殊举起柠檬茶："来，肖厂长，我敬你一杯，这里叫'蟾宫'，我祝你早日蟾宫折桂，功成名就。"

潮龙充满感激与温情地举起咖啡杯："我祝你一生幸福。"

"你的幸福，就是我的幸福。"李殊含情脉脉地补了一句。

两人微笑着将杯子各自送到了嘴边。

潮龙把自己在平谷办厂的经历中一些有趣的情节绘声绘色地给李殊讲述着，李殊一边倾听，一边轻轻地笑着。此刻，他们都沉醉在陶然欲仙的情境中……

李殊示意小姐结账，片刻，小姐拿着一张黄色的账单走到了桌旁，对潮龙说："先生，一共是 58 块。"（20 世纪 80 年代的物价水平）

　　潮龙顿时局促起来，他非常清楚他的兜里仅有几元钱，那是留着回平谷的车费。

　　李殊觉察到了潮龙的窘迫，事实上，她本意也不想让潮龙埋单。她连忙说："小姐，请给我拿两张餐巾纸来好吗？"

　　"好的，您稍候。"小姐转身走了。

　　李殊从钱包里取出一张100元钞票，塞进了潮龙手里："你先结账吧，我去趟卫生间。"说完转身离席。

　　潮龙只觉得脸颊火辣辣地烧着，他无比沉重地将那张100元钞票递到了小姐手里。

第四章

一

龙潜于渊

潮龙与楼刚开始了他们艰苦的创业。老于以军人般的严肃向他们履行了承诺，工人们全都回厂就位了，机器进行了必要的检修，老朱重又担起了生产厂长的职责，并负责厂务的细节安排，这样，两位年轻的厂长得以有充沛的精力投入业务活动。他们成功地揽到了第一笔活儿，为首钢公司的一个分厂制作一千套防静电工作服。重新旋转起来的机器使老于最后残存的一点疑虑彻底消失。他以军人般的果断告知那家大型汽车配件厂，针对他回心转意而进行的等待，将是愚蠢的。

潮龙与楼刚以空前未有的热情投入了他们实现梦想的征程。他们生平第一次意识到，他们的梦想已成了清晰有形的目标，而不再是空泛的海市蜃楼。因为，根据他们与厂方的承包协议，每年服装厂实现的纯利润，除去每年按比例偿还厂方的前债务以外，剩余部分，双方均分。尽管他们尚无法预测厂子的年产值，但他们自豪地相信，从听命于人的打工仔摇身一变而成为拥有对 200 名工人行使领导权的厂长这一事实，就足以说明，他们已向企业家的境界迈出了一大步。尽管路途漫漫，艰险丛生，他们也将义无反顾。

在纷繁复杂的业务生涯中，他们的商人素质得到了洗脑似的磨砺与锤炼。他们学会了必须调整他们以往的一些旧有的处事哲学，以适应这一新的生存领域的微妙人际关系。比如，他们懂得了在向那些掌管派发本单位工作服加工任务的领导们表达他们的渴望之余，还必须对其晓之以未来利润的分享。有时，厂里的几个技艺高超的工人还受命完成一些额外的任务。她们要以数倍于日常工作中的认真，将一些国产面料缝制成漂亮的时装，这些时装要将一些法国时装杂志上的漂亮款型体现出中国风格。这些时装不会体现出她们的劳动价值，因为它们将作为礼物出现在那些领导的女儿们的闺房中。在她们满意的笑声中，潮龙会带着他需要的加工订单回到厂里。

但是，对于一个做惯了高产出的外贸服装厂来说，那些工作服的数量实在是可怜得难打牙祭。往往是，流水作业的最后一道工序还未完成，前面两道工序的工人已经开始讨论如何使她们的家养母鸡生出双黄蛋来了。由此产生的业务上的压力使两个年轻的厂长疲于奔命。但工作服不是消费性产品，不可能总满足厂里的生产。为了不使机器停转，他们不得已也揽一些座椅套、窗帘，甚至劳保手套这样的微利活。如果在面料算计上稍有差错，甚至还会面临倒贴的危险。大型的企业、饭店的工作服，要么是名牌厂家专做，要么有固定的老关系户厂家。大家都懂得竞争的原则。所以对像潮龙、楼刚这样的实力较弱、道行尚浅的后起之秀来说，从这些地方拿到订单，十之八九是不可能的。厂子的生产开始青黄不接起来。潮龙与楼刚意识到了如履薄冰般的险境。

由于效益较低，他们也只能像工人们一样拿到可怜的 100 元左右的月薪。潮龙还要每月为潮汐扣出生活费。与过去相比，他们虽然成了精神上的皇帝，但从经济状况上，他们并没有什么改变。在经历了半年的惨淡经营后，他们熬到了年底。

李殊不止一次地要求去潮龙的厂子看看，都被潮龙拒绝了。他向她解释，他想让她看到一个欣欣向荣、挣钱赢利的厂子，而不是老朱脸上那令人心碎的忧愁。厂里虽然有电话，但因没有与市区电话联网，加之线路混杂，所以，潮龙也只能在晚上线路较清闲的时候，偶尔与李殊通话。尽管因业务关系，他能有很多时间出现在市里，但他努力克制自己不去按汇园公寓那间房门的门铃。他只是遵从对李殊的承诺，每周末与她相聚，第二天下午离开她。他这样做的原因，除了惧怕那消磨他意志的空间外，还有一层更深刻的压力，那就是对蟾宫的恐惧。

对于李殊而言，她非常珍惜这一周仅有一次的拥有爱的机会。看着她诚挚的样子，潮龙无法拒绝她的建议。蟾宫真正成了他们的伊甸园，同时也使潮龙愈来愈意识到，那里已成了他塑造痛苦的精神地狱。连续数月的不景气局面，彻底破灭了潮龙迅速脱贫的幻想。他开始变得情绪低落，每当在蟾宫里看到李殊的钱从自己的手里递出去的时候，他都能感到一种深刻的羞辱。这种羞辱逐渐升华成一种强烈的心理暗示：他不应当属于这个空间。

圣诞节是不能让李殊孤独的。傍晚时分，潮龙来到了汇园公寓，他没有礼物要送给这个房间的主人，因为他没有钱。

房门上贴着一张纸条：

> 潮龙，我今天下午要参加一个时装展示会，可能结束得稍晚些。晚 8 点我在蟾宫门口等你，不见不散。
>
> 李殊，即日

蟾宫，蟾宫，又是该死的蟾宫！潮龙只觉得这个圣诞夜的浪漫邀请简直像是捐躯赴国难一般。他抬腕看了一眼母亲给他留下的老式上海牌手表，才 6 点多。他信步走到了街上。

街上有点起风了。潮龙将防寒服的腰带绳使劲勒了勒系好，想了想西单的方向，找到了 387 路汽车站。在西单祥云国货商场前，他下了 22 路汽车，看了眼表，7 点半。他开始漫无目的地在这条繁华商业街上遛达起来。

尽管大多数中国人没有过这种洋节的习惯，但堪堪将近的新年，使买卖店铺显得异常繁荣活跃。许多人都在争购衣物、食品。潮龙有些惆怅地望着这升平景象。他感到虽置身于熙攘的人群中，却有着一种局外人的痛苦心绪。已经很多年了，每到将近新年的时候，都是他最失意的时候。他慨叹年轮更替，光阴飞逝，而自己却一事无成。在他打工的时候，新年之于他，不过是一种岁月流逝的符号。他在懵懂中不知道将向来年索取什么更多的东西。但今年不同，他生平第一次在心里有了自己的追求目标，并已将追求付诸努力。可他现在依然失意，上帝并未把他所期望的东西作为新年礼物奖励给他。他对新年的感觉依然如故。

风有些大了起来，他已能听到呼啸的声音，他把脖子缩进了竖起的防寒服的衣领里，抬手看了眼表，刚好 8 点整。

隔着马路，他就看到了那熟悉的身影。李殊穿一件白色的带帽羽绒服，下着一条弹力牛仔裤，脚蹬一双半高腰的细羊皮棉靴。她正站在蟾宫门前的空地上，左顾右盼着。

马路这边，潮龙的一只脚刚踏下马路牙子，他忽然犹豫了。他过去干吗？再次像个精神乞儿一样，置身于那金钱营造的氛围中，看着那眉目传情的姑娘在他已感负债累累的心灵上再施感情重荷。最后，他还要像个伪君子似的，在小姐对李殊羡慕的眼光中，将那钱——李殊的钱……不！

潮龙情不自禁退了回去，身不由己地向南走去。一种悲愤之情令他眼圈湿润了，他憎恶自己，憎恶自己无能。在他们相识的半年多时间里，他就像个寄生虫一样沉湎在她的呵护中、她的爱抚中，她无私地给予了他一切，而他在接受这一切时的样子，看上去就像是在保险公司里领取保险金的受益者。他有什么资格这样做，他感到自己龌龊而又下贱。他发誓，今晚决不踏进蟾宫！

他神情昏然地快速走着，像是躲避地狱一样。不觉中，他已走到了宣武门。他靠在十字路口边上的栏杆上，呆望着来往车流出神。他期盼着时间快些流过，这样李殊等不到他，就会离开那里回家了。

惶惶然过了很久，他看了眼表，已经 8 点 40 分了。他要证实一下，于是他上了一辆 105 路电车向西单方向驶去。

刚一过西单十字路口，他就透过车窗看到那熟悉的身影依然伫立在那里。由于寒冷，她已开始用脚反复地轻跺地面。105 路车一驶而过，潮龙仍然伸着脖子用眼捕捉着那身影。车子很快开到了甘石桥站。潮龙的脑神经一下子绷紧了，他问着自己下不下车。车门开了，几名乘客向车下走去。他看着最后一名乘客走下了台阶。车下等着上车的人已开始跃跃欲试。潮龙仍在紧张地犹豫着，车下的人一下拥了进来，门"哐"的一声关上了。他感到心猛地一抽，随即痛苦地闭上了眼睛。

他在西四下了车，往前走不远，是一个丁字路口。他在路口边站定了。恰在此时，旁边的红楼电影院散场。他看到许多情侣相互依偎着走到了大街上。看到他们那亲昵的样子，他顿时想到了李殊此时的情形，心如刀剜一般。他在心里默默地祷告着：上帝呀，让她快离开那儿吧！风愈发大了起来，街上的人都行色匆匆，潮龙自己也禁不住哆嗦了起来。过了不知多久，他又看了眼表，9 点 10 分了。他飞快地向南行的车站跑去。他乘上了一辆 102 路电车，他想再看一眼，她是否还在那里。

潮龙的心都要跳出来了！她仍没有走！

眼泪顿时模糊了他的眼睛，他看到她已将不常戴上的羽绒服帽子罩在了头上，双脚仍不停地跺着。

"笨蛋！你真是个笨蛋！为什么不离开那儿！"潮龙在心里骂着，随即一步跨到了车门前。这时，车停在了十字路口的红灯前，潮龙猛然意识到车过十字路口后还将有很长一段路才能靠站，红灯显得是那样漫长。陡然间，一股怒火从潮龙胸中燃起。他心爱的姑娘正在刺骨的寒冷中忍受煎熬，而这该死的车却把他禁锢在这里。

他猛地把手伸进了车门缝中，用力向两边一掰。售票员被吓了一跳："哎！你要干什么呀？"他也不答话，双脚用力一蹬，身子迅速地从用手掰开的门缝中蹿了出去。"哐"的一声，门在身后关上了。"这人疯了吧？"售票员惊叹着。

潮龙的确像疯了一般跃过了马路，向着那白色的身影急奔。

他一把将她拥在了怀里，紧紧的，他感到她的脸冰凉凉的。许久，李殊喃喃地说了一句："你来得太晚了。"

泪水已从潮龙的脸上流到了李殊的羽绒服上……

他们回到了汇园公寓。潮龙颓丧地坐在沙发上，一言不发。李殊安慰着他："你不喜欢蟾宫，我们以后不去了，快别哭丧着脸了，今儿可是圣诞节，我可不希望你这个样子度过圣诞夜。我还有一个圣诞礼物要送给你呢。"说着，她从坤包里取出一个用精美彩纸包着的小包，交到潮龙手里，随后神秘地说道："先别打开，很快你不用启封就知道它是什么了。"

她抄起了电话，拨通了一个号码："请呼168，姓李，祝圣诞快乐。"随即她放下了电话。

不一会儿，从那小包里就传出了一种类似电话铃声的鸣响。李殊兴奋地将那小包打开，按下显示键，随后递给潮龙看。这是一种美国摩托罗拉公司生产的BP机，形状美观，机身附着一个抽拉嵌盒，嵌盒上有一个别子，用于固定在身上。显示屏区别于一般BP机的是，它出现在机身的正面，而不是侧面。

李殊坐到了潮龙的双腿上，一只臂钩住他的脖子，给他解释着。

"我给你选了一个吉祥号，一路发。它是我送你的吉祥物，保佑你事业发达。另外它还有振动功能，不想让它叫的时候，可以调整功能。"李殊说着，把BP机放到条几面上做了演示。那小玩意儿就像是个小坦克似的，在几面上突突地挺进着。

潮龙被感动得无以复加："这礼物太贵重了，在商店我见过这机子，加上挑号费，没两本儿是拿不下来的。"

李殊赶紧用食指顶住他的嘴："你做生意需要它，再说今后我有什么事找你，有它方便多了。平谷也能收得到的。"

潮龙感到无比愧疚："可我什么也送不了你。"

李殊深情地望着他："你自己就是送给我的最好礼物。"

潮龙无语……

第二天，潮龙带着李殊赠给他的两份珍贵的圣诞礼物回到了平谷。另一份是李殊针对他的厂子现状提出的一个实质性的建议，那就是欲使厂子生存下去，必须走外向型的道路，使华诚厂恢复生产外贸服装的传统。

新年过后，潮龙与楼刚以加倍的努力，开始贯彻实施新的战略设想。他们与市内一家大型外贸服装厂取得了联系，经过努力，他们终于感动了那家厂的厂长，他们得以二手加工价格为那家外贸厂加工外贸订单上的任务。活源总算是维持稳定了，但利润仍然甚微。正如李殊曾对潮龙阐述过的那样，国营厂由于各项税高，劳保负担重，加之提供活源的外贸公司还要收取适量的管理费，加之海关等的一些因素，国营厂的加工利润也不甚理想，所以像潮龙的厂子这样仰人鼻息之又仰人鼻息者，就更不要奢想有什么丰厚的利润了。长期的惨淡经营导致的低报酬，使得工人们的工作情绪开始涣散起来。质量开始出现问题，工期开始出现延误。面对冷峻的现实，老于也不得不像老朱那样开始向潮龙展示他的忧愁了。

经过磋商，大家取得了共识，必须甩掉一切中间环节，直取原始加工价格，才能保证丰厚的利润，恰在此时，机会上门了。

一天晚上，潮龙和楼刚躺在他们在厂里宿舍的床上，一边看着电视，一边商议着如何采取下一步的步骤。这时，从中央电视台播放的《经济半小时》节目里，播放出一条求购信息，两人顿时都被吸引住了。

信息的内容是，新加坡的东信国际贸易公司欲在中国大陆求购 10000 打 8 条的欧洲版的条绒裤，供货期为一年，单价 25 元，运输及报关费用由双方协商承担，有意厂家可于 2 月 24 日早 8 点携带样品裤到东直门外东湖别墅 A 楼 302 室东信公司驻中国办事处面洽。有关产品规格的信息资料可到中央电视台的经济信息部索取。

两人马上粗略地估算了一下，25 元的加工单价，毛利约 10 元，10000 打就是 12 万条，如一年完成的话，年毛利约 120 万元。如进度能提前，效益更可观。主要面料 8 条条绒，据他们所知，华北地区生产此类优质产品的当属天津第二染整厂，他们以前加工劳保手套时曾到那家厂去收购边角条绒面料。这宗订单对于长期处于食不果腹状态的华诚厂来说，无疑是一桩肥活。

两人马上兴奋地去找到了老于和老朱，把这个信息及他们的分析告知了两位合伙人。大家进一步研究，认为应当力争，老朱甚至还保证，能使工期缩短两个月。余下的首要任务是第二天马上去中央电视台索取产品规格单及了解另外一些细节。

潮龙掐算了一下日子，这一天是 2 月 13 日，距 24 日还有 10 天。要在这 10 天里，将争取到订单的一切准备工作做好。

走出老于的家，顶着满天的星斗，两人处于一种紧张的兴奋状态中。

刚进到厂门，潮龙腰里的 BP 机振动了起来。他按亮了 BP 机的灯一看，是李殊从家里打来的。他嘱咐楼刚先回宿舍，自己向厂长办公室走去。

新年过后，北京电信局已使市内电话与京郊所有区县电话实现了联网。华诚厂办里的电话也换成了直拨，这使得潮龙能够很容易地将电话打到汇园公寓的那个房间。

"李殊，什么事？"

"你知道明天是什么日子吗？"

"2 月 14 号？噢，是情人节。"

"我要不提，你就忘了吧？"

"每回见着你就跟过了一回节似的，明天这日子也没什么特殊的。"

李殊听着，心里美滋滋的，但她口上却说着："那可不行，你要是让我一个人过情人节，我恨你一辈子。"

"那你认识我之前恨谁呀？"潮龙逗着她。

"恨上帝，恨他不让我早认识你。"李殊的话里充满了真诚。潮龙心里猛地一沉，他总是被她的这种真诚搅得心里软软的。

"好吧，明天我正好去中央电视台办点事，咱们还是晚上见。"

从中央电视台走出来的时候，潮龙和楼刚都感到了竞争的严峻。已有十几个厂家怀着同他们相同的目的，从这里取走了规格单。规格单上明确地标明了所需的各种型号、数量、各部位尺寸、颜色要求、针距、辅料要求等。所有原辅料均由厂家自采，东信公司只收成品。一旦某个厂家中标，东信公司将直接将需支付货款的信用证开具到厂方开户行。

两人在城里转了一天，到一些有关纺织公司及门市部落实完了全部辅料情况，决定次日去天津第二染整厂确定 8 条条绒。随后，楼刚回了家。潮龙提着一篮子不知是否培育成功的双黄蛋来到了汇园公寓。

一见那一篮子鸡蛋，李殊就笑个不停："肖先生，真有你的，多么诗意的情人节礼物啊！"

"收下吧，这是平谷人民的一片心意。临走时，她们直道歉，说三黄蛋正在培育之中，只能让您先带走双黄的了。我跟她们说：'那你们就先臊着自个儿吧！常言道，知耻而后勇。等三黄的出来了，给我往汇园公寓送两卡车。'"潮龙无耻地侃着。

李殊一边将鸡蛋往冰箱里码，一边说："好家伙，听这口气，就跟你开了个养鸡场似的。两卡车鸡蛋我往哪儿放啊，干脆我就摆一地摊，就地出售得了。"

"那你可得留点神，现在这季节可快到下雹子的危险期啦。"

"那看来我只能批发了。"

"你怎么也当起无照商贩来了？"

"跟你学的呗，这叫夫唱妇随。"

"我还没娶你呢。"

"你就会了。"

"你怎么这么有信心？"

"哼。"李殊神秘地瞟了潮龙一眼，"待会儿再告诉你。"李殊说着围上围裙准备做饭了。

潮龙不知所云地愣在了那儿，他不懂李殊话里藏着什么玄机。

吃罢晚饭，他们进了客厅。李殊只扭亮了一个很暗的小壁灯，单元里所有灯都被关闭了。她在音响里放了一盘谭咏麟的唱片——《爱在深秋》，然后来到坐在沙发上的潮龙身边，侧身坐到他的腿上，双手钩住他的脖子，把头放在他的肩上，紧紧依偎着他。

两人都静静地倾听着谭咏麟深沉而富有魅力的歌声，感受着这怡人的时刻。潮龙轻轻地拥着李殊，闭着双眼，静气沉思地将意识放牧到一种悠远的意境中……

沉静了很久，李殊喃喃地对潮龙说道："你怎么不问我情人节送你什么礼物？"

潮龙柔声说："好吧，现在我问了。"

李殊抓起了潮龙的一只手放到了自己的腹部："知道了吗？"

"什么？"

"就在这儿呀。"

潮龙猛一惊，他一下睁大了眼睛。

"有多久了？"

"一个月。"李殊的声音仍很轻柔。

"怎么不早告诉我？"

"我也才知道不久。再说，我想把他作为情人节的礼物送给你呀。"

潮龙一下惊愣得说不出话来了。

李殊没有察觉潮龙的失态，她依旧将头依在潮龙的肩上，继续轻柔地说着："我已经想好了。我们结婚吧！再过几个月，等这个小肖潮龙一生下来，我们就是一个快乐的三口之家了。噢对了，还应该把你的妹妹潮汐接过来。我这儿除客厅，有3个房间，可以给她腾出一个住。我们4个人生活在一起，你们可以再也不用住那个小平房了，你马上就可以成为这个房间名副其实的男主人，我都把未来安排好了，以后咱们是一家人了。你也不用再跟我客气，做生意用钱的时候，我的钱就是你的钱……"

潮龙只觉得脑子里嗡嗡的，李殊下面的话，他已听不到了。忽然，他喃喃地打断了李殊的话。

"是吗？你都安排好了。我的生活，我的未来，我的生意，甚至连我妹妹你都安排好了。"

听着他古怪的语调，李殊一下抬起头来。

"潮龙，你怎么了？"

潮龙用双手捧住她的脸："李殊，这孩子我不能要。"

"为什么？"

"你知道这个孩子对我意味着什么？"

"意味着你将成为一个父亲。"

"对，"潮龙的语调里充满了沮丧，"一个一不能安家，二不能立业，前途堪忧，整天和贫穷相依为命的父亲！"

"我不在乎！"李殊的语调突然坚定了起来，"我有钱，我可以使你不再受贫穷的折磨，使我们的孩子在幸福的家庭中成长！"

"可我在乎！"潮龙从未对李殊如此高声，他猛然觉得他那被李殊用浓雾重霭般的挚情包围着的困惑终于从心底冲了出来。他一把推开了李殊，站到了地毯上，"你想过没有？如果真照你说的我们三个组成了家庭。你叫我如何面对这家庭中的另外两个成员？一个是自己的亲骨肉，一个是深爱自己的妻子。我对于你给予我的情感，已经不堪重负了！你是一个女人，一个有着丰富情感的女人。女人需要什么？需要男人诚挚的爱，但仅有爱是不够的，女人还需要男人的责任，和从男人那里得到的对这个世界美好的感觉，可这需要财富去支撑！我能给你什么？除了一个苍白软弱的爱以外，我所剩的仅是个一无所有的脆弱之躯，现在这个拥有脆弱之躯的男人居然有了一个孩子，你叫这个孩子将来怎么看我？一个枕在母亲的财富堆上一生精神沦丧的软骨父亲。当他看到别人家的孩子亲昵地向自己的父亲提出各种满足幸福的要求的时候，他只能悲伤地想，在他的家庭里，母亲取代了父亲应当拥有的地位。李殊，你应当了解我，我是个有着强烈自尊心的人。尽管为了生存，为了获得最终的成功，我可以暂时抛却它，甚至任人践踏。但我相信，最终总有一天，我会把它捡回来、洗干净，重新置于我的灵魂中！但如果我把这自尊，扔到你这地毯上，扔到你的钱堆里，那我就永远也找不回来了。我对你给予我的感情已经越来越恐惧了，如果此时再用一个孩子和家庭来束缚我，那我这一生就万劫不复了。所以在我还没有能力捍卫自尊的时候，我不想要这个孩子，更不想要一个家庭。求你了，李殊，把这孩子拿掉吧。"

李殊感到伤心欲绝，她用整个生命投入的热情被潮龙兜头一盆凉水浇下。她呆呆地望着潮龙，突然她坚定地说："不，不行，我把这孩子看作是我对你的感情的最真实的东西！他存在的意义同我的生命一样神圣！我是他的母亲，我对他同样负有责任！"

潮龙悲戚地单膝跪在李殊的膝前："你难道非要看到我把这孩子带到世界上，却由于无法抚养他，而把他推给他的母亲吗？我会发疯的，李殊！"

李殊的声音也充满了哀怨："你为什么就不能放弃你那愚蠢的自尊呢？"

潮龙的目光已有些呆滞："求求你了，李殊，你就答应我吧。"

李殊流着泪继续摇头："不，潮龙，不行。"

"啊！"潮龙突然悲号了一声，一头撞向条几台面，哗啦一声，玻璃几面被撞碎了一块，血从他的额头流了下来。

"潮龙！"李殊大叫一声，扑过来，一把将他的头紧紧搂在怀里，"你为什么要折磨你自己，为什么要折磨我呀。"她的声音充满了凄惨。潮龙在她的怀里仍喃喃地哀求着：

"求求你，求求你，答应我吧。"

李殊悲痛万分，泪如雨下："我……答应……你……"

楼刚在约定的地点没有等到潮龙，呼通了他后，得知他同李殊正在中日友好医院，潮龙嘱咐他第二天同样时间见面。楼刚疑惑地挂断了电话，他听到潮龙电话里的声音，很悲沉，也不知他发生了什么事。

在周冰洁的安排下，李殊做完了流产。

潮龙陪着她又回到了汇园公寓。

两人并排坐在长沙发上，谁都无言。良久，潮龙转头凝视着李殊。他注意到，仅一夜之隔，李殊已憔悴了许多：往日充满了神采的大眼睛此时却黯淡无光，眼神中充满了凄楚；长长的秀发，有些凌乱地披在肩上；脸上的神情显得颇为疲惫。望着，望着，潮龙忽然悲从中来，他这是作孽呀！他自己不幸、痛苦，为什么要连累这可爱的姑娘呀。她本来生活在一个温暖、富足的世界里，可他就像是个灾星一样闯进了她的生活。那该诅咒的夜晚，他就像个魔鬼一样截断了她的去路，同时也截断了她的幸福。她是个多么纯洁的姑娘，她的生活应当永远是明媚的。她本不应该感受到生活中的阴暗的。看看她此时的样子，她是那么柔弱，错就错在她不该爱上他，她对他增添的每一丝爱意，都像是服用了慢性毒药，而他每星期都要来到她身边，为她煎服一剂。现在这毒性终于发作了。他感到她此时的样子真令他心碎。

潮龙越想越痛心疾首，他忽然啜泣起来，继而号啕一声，向前一扑，跪卧到了地毯上，痛哭失声。

李殊一惊，赶忙扑过去，拦腰抱住潮龙，把脸贴在他的背上："潮龙，你别太难过了，是我不好，我把你的心伤害了那么久，我都没有察觉。让我们忘掉过去吧，重新开始，好吗？"李殊说着，也已眼泪涔涔。

重新开始？这个词像炸雷一样轰击着潮龙的脑际，难道他还要继续伤害这可怜的姑娘吗？

"不！李殊，我不能了！我是魔鬼，我是冤孽，我毁了你的生活。你不应该再见到我了，你忘了我吧！"潮龙一边用手捶击着地面，一边狂喊着。

李殊绝没有想到潮龙会说这样的话，她惊呆了，随即一股恐惧感油然而生，一股疯狂的激情使她拼命地将潮龙扳倒，她使他仰面朝天躺在地毯上，随即她一下扑在他身上，用双手使劲捧着他的脸，一边在他的唇上狂吻，一边哭求着："潮龙，别离开我！我害怕！我害怕失去你！快对我说，你刚才说的不是真的……"

潮龙此时的情绪已然是悲愤至极，他猛地挣脱了李殊，一骨碌从地上爬起来，向客厅外冲去。

"潮龙！"李殊趴在地毯上，一声凄厉的哀叫。

"砰"，街门重重地关上了。

李殊一下瘫软在了地毯上……

在天津第二染整厂，潮龙以令楼刚目瞪口呆的果断和勇气，向厂方一下签订了10000打条绒裤所需用布的全部订购量的协议，并且当他得知在天津市郊的天穆村路该厂仓储所在地南仓二库，存有大量彩色8条条绒的现货时，他再次果断要求厂方为他全部冻结，他将于近日携款前来提货，并签订剩余供货量的加工订做合同。厂方欣喜万分，慨然允诺。

在返京的火车上，楼刚实在耐不住潮龙那顽固的沉默，执意要他解释他的疯狂行为的动机。

潮龙说："楼刚，你知道这批活儿对于我们的重要意义吧？"

楼刚点了一下头。

潮龙继续说："拿下这批活，不仅关系到厂子的生死存亡，更重要的是，它所产生的丰厚利润，将改变我们的命运！在中央电视台，你也看到了那残酷的竞争局面，也许将有数十个厂家与我们争食这块肥肉。我们靠什么才能赢得竞争中的胜利？靠的是破釜沉舟的勇气，和孤注一掷的行为。你想想看，在24日那天，当其他厂家只带着样品去见那位新加坡商人的时候，我将对他说：'我不仅带来了样品，我还让我的工厂做好了一切开工准备！只等您在合同上一签字，我的机器就会马上转起来，这是与我同来的任何厂家，都无法做到的！'"

楼刚惊疑地问："那如果我们拿不到订单怎么办？"

潮龙的目光中显出一种深刻的庄重："那我就与厂子同归于尽！楼刚，我们不能再这样下去了，我们不能再让穷困的命运主宰我们了，我们已经失去了太多。你知道吗？就在昨天，我亲手掐死了我的孩子！我看着我孩子的母亲悲痛欲绝！残酷的命运不会摧残我的性格，但这种感情的重击，却能使我肝胆欲裂！由于我的无能，由于我不争气，致使我的爱人，我的亲人，都要蒙受不幸！难道我们还要对自己说'如果我们拿不到订单怎么办'这样的蠢话吗？"潮龙说着已是热泪盈眶。

楼刚的眼圈也湿润了："潮龙，你说得对，我们必须拼死一搏。可是，厂子里的经济情况你也很清楚，如果没有对方公司给我们开具信用证或银行担保函，我们无法从银行弄到钱，去支付庞大的原辅料购买费用。"

"这点我很清楚，解决办法只有一个，就是用厂子的全部资产做抵押向我们的开户银行贷款，如果不够，还要设法说服老于将其他一些村办企业的资产做抵押，贷到足够的钱。"

"你认为老于能同意吗？这意味着24日一旦拿不到订单，他们村将倾家荡产，银行要的是还款和利息，不是堆积如山的条绒布、拉锁和扣子。况且现在只有不到9天的时间了。"

"我们必须说服他同意，他不同意也得同意。人生就是一场赌博。我们是赌徒，他也应当是！"

潮龙就像当初说服了老于继续办华诚厂一样，他再次用他炽热的激情创造了奇迹！

老于不愧是历练了千军万马沙场的老将，他再次以军人那特有的魄力，投下了重注。在以华诚厂的全部资产以及一个盈利颇丰的禽蛋养殖场做抵押之后，潮龙在3天内得到了180万元的巨额贷款。偿还期限为当年底的12月31日。也就是说，华诚厂必须在得到订单后，将全部产品于此日期前交付完毕。紧接着的工作紧锣密鼓。他们从天津拉回了那批现货条绒布，签订了购货合同，辅料也迅速购到了足够开工的部分。按照规格单上的尺寸、款式及颜色要求，样品很快便出炉了。工人们全都摩拳擦掌等待着开工的命令。

24 日这一天终于来到了。

东湖别墅位于东直门立交桥以东不远，在它的门口竖立着一个古色古香的牌楼，整个别墅是由一组公寓楼群构成的。

潮龙和楼刚于 7 点 30 分便来到了东信公司驻中国办事处的所在地。

在公司办事处的主任办公室外的一间候客室里，潮龙见到已有 5 家客户厂家提前来到了这里。他们静静地等候着 8 点钟的到来。到将近 8 点钟的时候，潮龙数了数，连他们在内足有 19 个厂家。尽管他雄心勃勃，志在必得，但心里却仍然忐忑不安，万分紧张。

忽然他听到旁边两个人的对话："听说今天负责招待面洽的这位办事处主任金先生，还是一位新加坡籍华人呢。"另一个声音说："嗐，新加坡人几乎都是中国人，他们那总理李光耀不就是个华人吗？"

潮龙心里猛地一动，一条妙计涌上心来，他看了眼表，还差 6 分钟就 8 点了。他转头对楼刚低声说："拿好样品，我们现在就进去。"楼刚惊奇地看着他。潮龙诡秘地一笑，也不解释，起身就向通往办公室的门走去，楼刚赶忙提上装着一摞样品裤的包跟了上去。

与候客室相隔的房间，是秘书小姐的办公室，这是一间像过间似的办公室，主任办公室的门就在这个过间的对面。

潮龙一进过间，一眼就看到了对面有个门上写着中英文的"主任办公室"字样的黄铜牌，他径直向那个门走去。

一位秘书小姐此时正坐在她的办公桌旁修剪指甲，忽见两个陌生人闯了进来，也不打招呼，径直就向主任办公室走，她连忙上前叫住了潮龙。

"请问先生，您找谁呀？如果是来面洽的厂家，请您在候客室里再等一会儿，我们主任金先生还没有发话让客户进来洽谈。"

潮龙目光威严，咄咄逼人："小姐，你在为我舅舅工作，对吗？你非常喜欢这个工作，并且希望继续干下去，对吗？你还希望得到加薪的机会，对吗？好了，现在请你把微笑浮在脸上，然后对我说：'您请便，先生。'"潮龙的语气里带着种不容置疑的权威。

小姐一下被惊愕住了，随即局促地胡乱应着："啊，好，您请便，先生。"

潮龙从容地转过身来，刚走了两步，又想起了什么，便转身，走到小姐身边，从西服里取出事先准备好的 500 元钱，交到小姐手里："小姐，请你告诉候客室里的那些先生们，这批活的订单，金先生已交给他的外甥做了，他们没必要再等待了，让他们请回吧！小姐，我认为你工作得非常好，我会把这一好感告诉我舅舅的，现在你已经得到加薪了。"潮龙说着拍了拍她握钱的手，随即转身走进了主任室。

金先生年约 40 岁，穿着一身考究的浅灰色西装，打着一条红蓝条相间的领带。此时他正坐在办公桌后的靠背椅上，悠闲地品着咖啡。

突然，他没有听到敲门声，就见两个穿着整齐西装的年轻人走了进来。他连忙问："你们是谁，怎么不敲门就进来了？"

"您就是金先生吧？"潮龙问道。

"是我，你们还没回答我的问题呢！"

"因为我认为，这是使您尽快得到好消息的最佳方式。"

"你们这样做太无礼了。"

"金先生，待会儿我再向您诚恳致歉。现在我认为最首要的是马上让您看到您最喜欢的东西。"潮龙说着，从楼刚手里接过包，打开拉锁，将一摞颜色各异的条绒样裤取了出来，走到金先生的办公桌旁，将它们轻轻地放在了上面，同时说，"我认为您是一个出色而又豁达的商人，对于一个能给您带来巨大利益的人的一些不慎行为，我想您是能够谅解的。"

金先生显得气平了些，他开始被桌上的样品吸引住了。从他对样品质量细致观察的神态中，潮龙看出这是一个对服装内行的商人。潮龙开始向他介绍自己及厂子的一切情况，最后，他把问题点到了实质。

"金先生，从您的神态中，我可以自信地猜到，您对我厂生产的样品非常满意。我可以满有把握地告诉你，我一直以严要求使我厂的每一个工人都能达到这种高技术水平，将来在验货的时候，您会发现，每抽出一件产品都会同样品质量如出一辙。我会以做人的真诚及厂长的责任发誓，我能做到这一点。另外我还能做到的是，比你们规定的供货日期提前两个月完成，如果从现在算起，我保证在年底之前，将货全部交齐。为了能达到这种效率，我采取了孤注一掷的步骤，我已以我厂子的全部资产做抵押贷下了巨款，办好了先期开工的一切货源。现在就在我的厂里，工人们全都处于紧急待命状态，甚至按照你们要求的规格单上的尺寸，铺好了面料，连皮都画好了，只等您在合同上一签字，裁刀就会开始工作。在同来的所有厂家中，我认为只有我才能做到这一点。"潮龙的语气充满了自信与坚定。

金先生忽然严肃地抬起头来："可你不认为这样做太冒险了吗？如果我把订单给了别人，那你就破产了。"

"我认为您不会这样做的。首先，我的产品质量无可挑剔，我可以比任何一个同来厂家的代表都坚定地说，我可以始终如一地对它倾注我的责任和信心。另外，我为我们即将成交的生意所设置的种种便利条件，是他们所根本无法企及的！"

"你太自信了。"金先生微笑地说了一句。

"您难道不需要这种自信吗？我看得出，您是一位精明的商人，您不会无视我提出的这些独一无二的优越合作条件的，更何况，您现在面对的是唯一的选择。"

金先生一愣："你这话什么意思？"

"我已经设法让其他厂家明白了他们根本无法与我竞争。"

金先生赶紧按了一下呼叫铃。

秘书小姐应声而进。

金先生问道："其他客户呢？"

小姐答：“我已经让他们请回了。”

金先生问：“你为什么这样做？”

小姐看了一眼潮龙：“是您的外甥，噢，就是这位先生让我这样做的，他说您已经把订单给了他。”

金先生挥了挥手，小姐退了出去。

金先生目光复杂地盯视着潮龙。潮龙则镇定而又平静地与他对视着。约有半分钟，金先生开口道：“肖先生，我欣赏你的卑鄙，这订单是你的了。”

“谢谢，金先生，我能用一下您的电话吗？”

“请用吧，肖先生。”

潮龙走到电话机旁，抄起听筒，拨通了厂里的电话。

“喂，老朱吗？”潮龙问道。

老朱此时正焦急地守候在电话旁。

“肖厂长，是我，怎么样啊？”

“开工！！！”

金先生欣赏地注视着这个性格奇特的年轻人，随即说道：“肖先生，为了回报你的效率，我会在 3 天内为你开具好银行信用证，现在请把贵厂的开户行及账户、账号告诉我。”

“中国农行北京分行平谷支行……”

转眼又到了夏季，李殊在无比惆怅中迎来了与潮龙相识一周年的日子。她的心绪越来越糟。从上次潮龙离去以后，她再没有见到他，那个 BP 机号都呼烂了，但再也没有听到那令她渴望的声音。她没有勇气去平谷找他，给他的厂里打电话，也总是听到相同的显然有时有些迟疑的答复：“他不在。”思念的煎熬感与日俱增，她开始经常哭泣，开始痛恨自己感情脆弱，她在痛苦中愈陷愈深，她开始寻找摆脱它的途径。正在这时，李特从香港打来了长途。

“我说公主，你一人活得还自在吗？”听筒里传来李特欢快的声音。

"就像此时我们之间的距离一样，跟你比差太远了。"李殊的声音充满了忧郁。

"哎哟，我发现你更加不可救药了，原来在我面前，你总是试图扮演母亲般的角色，而现在你的声音听上去，像是我姥姥了。"

"你真的这样感觉吗？"李殊非常认真地问着。

"嗯，反正听上去不太舒服，你是不是病了？"

"我的病在心里，你是无法理解的。"

"得了我的好妹妹，一年没见了，怎么玩起深沉来了。今儿我告诉你一件大事，这个月底我要结婚了，你来参加我的婚礼吧！爸也极力让我敦促你过来玩玩，度一段假期，咱们家就这三口人，还天南海北的，你真让老头儿伤心。"

李殊的声音柔和了许多，家人的亲切感使她的情绪恢复了一些："祝贺你了，李特先生，我嫂子肯定是个香港望族闺秀吧？你老实交代，这桩婚姻里有没有商业阴谋，是不是你老丈人在远海的一个钻井平台归你了？"

"你的嘴还是那么厉害，我再利欲熏心也得有个度啊。你嫂子是一个慈善福利机构的女负责人，她人很好，你会喜欢她的。哎，你还没回答我呢，什么时候过来，用不用我派人去接你？"

"噢，别，别，嗯……好吧，我明天就去办探亲护照。"

李殊放下电话，愣愣地望着窗外很久……

老于越来越欣赏这两位年轻的厂长，他从他们身上看到了自己年轻时代戎马生涯中的那种敬业乐业、百折不挠的创业精神。他像慈父般对他们关怀备至。这两位久离故土、在异乡奋斗的年轻人，能够经常地体会到家庭般的温暖。潮汐也经常利用课余时间来平谷看望哥哥。此时她已能很大程度地在经济上自立了，由于她专业成绩优秀，她已尝试着在一些广告片及电视剧中担纲导演。她对令她崇敬的哥哥的奋斗经历，感慨良多，许愿有朝一日将他的经历搬上银幕。

磕下东信公司的订单后，潮龙与楼刚并未轻闲下来，他们除了在车间内反复巡视，督查质量外，还要为降低成本，千方百计寻找剩余需量辅料的原始出处，这使得他们需要经常奔走于外省市。

紧张忙碌的工作之余，潮龙总是情不自禁地想起李殊。一想起上次离别时她那凄厉的呼唤，潮龙就觉得浑身直打冷战。他努力使自己尽量不回北京，这就使得楼刚不时孤独地奔波在京平公路上。BP机上那频繁出现的熟悉的电话号码，像是咒符一般令他痛苦不堪，但他仍在BP机上将那号码锁好，随着那熟悉的呼叫日益减少，他更是把它视若有形的思念，夜阑更深的时候，久久地凝视着它，默然地垂泪……

这天，潮龙与楼刚刚从石家庄返回，老朱就叫住了潮龙。

"肖厂长，昨天有一位小姐来找过你，叫我务必把这封信交给你，问她是谁，她也不说，就说让你一看信就明白了。"

潮龙接过这个牛皮纸信封缄封的信，忽感信中有一块硬物。他撕开信皮，发现那硬物是一枚钥匙。尽管信封上没有字，但他已猜到了八九分。展开信纸以后，他证实了自己的判断。信纸上有明显的斑斑泪痕。

潮龙：

你好！情人节一别，我已快三个月没有见到你了。今天是我与你相识一周年的日子，你记得吗？在我们分别的这段时间里，我觉得像度过了一个漫长的世纪。

我知道你在躲着我。我也知道你此时的痛苦绝不会逊于我。记得你曾说我是你的命运女神，可我现在觉得，你才是我的命运之神。你曾把我送到天堂，而此时，你又将我打入地狱。你还曾说过，我是个生活在白昼里的人，感受的是明媚的阳光。不错，我确曾拥有白昼，而你就是那明媚的阳光。而现在，阳光从我的生活中消失了，陪伴我的是漫漫的长夜，我已经失眠很久了。我感到现在是在一种毁灭的感觉中生活着。我从未像现在这样感到一种恐惧般的孤独。我时常到蟾宫去独坐，为你叫上一杯咖啡，是你最爱喝的，只有那时，我才稍稍感到一点慰藉，但只要一离开那里，我又会陷入痛苦的煎熬。

　　刚才家人从香港打来电话，叫我去那里度一段假期，我答应了。我想，或许离你远一点，痛苦会小一点。在你看到这封信的时候，我已经到达那里了，我不知道我会在那里待多久。待我回来后，我会用电话呼你，特为你配了一把我公寓的钥匙，如你有空，可常来坐坐，你不是很喜欢它给你的感觉吗？

祝走运！发达！

永远忘不了你的　李殊
写于与君相识一周年之际午夜零时

　　一股汹涌的悲情在潮龙的心胸中激荡着。他拼命地跑出了厂门，向着不远处的田野狂奔，很快他跑到了田野上，仰面朝天一声悲号，跪到了泥土上……

　　光阴飞逝，很快，潮龙与楼刚迎来了他们人生中第 25 个圣诞节。经过了整整 10 个月的辛苦工作，那 10000 打条绒裤的生产任务终于在圣诞节的前一天全部完工了。厂里为此举行了庆祝活动，工人们全都喜笑颜开。潮龙与楼刚更是欣喜万分，只等第二天到东信公司办事处办理好交验货手续后，他们就能拿到那笔丰厚的利润了。

　　圣诞节给东湖别墅带来了喜庆气氛，这对于这栋涉外别墅来说，是很自然的事情。潮龙和楼刚一走进那别致的牌楼，就注意到甬路两边均匀地分布着缀满彩灯的圣诞树，两人心情无比愉悦地走进了东信公司的所在楼。

　　他们一上到三楼，就发现东信公司所在的几间办公室，工作人员频繁地进进出出搬运着一些文件、物品，人人脸上都是一副漠然的样子。

　　潮龙对楼刚逗笑着："他们在干吗呢？是不是想把圣诞节到新年之间的活都干完了，好休一个长假。"

楼刚揶揄着他："不对，我看大概是他们知道他们主任的外甥要来视察工作，特意做出一种勤奋的姿态来。因为他们都知道了那个秘书小姐得到加薪的故事。"

两人笑着走进了金先生的办公室。

但笑容很快便从他们的脸上消失了。取而代之的是五雷轰顶般的惊愕。

金先生难掩沮丧地告诉了他们一个惊人的消息。东信国际贸易公司驻中国办事处已从即日起撤消，停止了一切经济、商务活动，对于华诚服装厂的那份购货合同，他们已经无法履行。

原因是这样的，在新加坡的一项国家级重点经济投资工程中，东信国际贸易公司的首脑人物为获中标，向政府官员行贿，不幸东窗事发，遭到新闻媒体在全国范围内广泛曝光，丑闻震惊了全国。新加坡国家廉政公署在对东信公司调查的过程中，发现了许多隐秘账户，及大量来历不明的巨款，显而易见涉嫌严重逃税行为。鉴于此，新加坡国家经济部门注销了东信公司的商务活动资格，查封并冻结了东信公司在海内外的全部动产及不动产，撤回该公司在国外的全部商务机构，而在冻结的全部资金中，就包括开具给潮龙他们的信用证上的全部支付款。

金先生不无悲切地说："肖先生，我对由于我们公司的不幸而波及贵厂利益深感愧疚，但除此以外，我也深感无能为力。我非常赞赏你的能力，为了报答你为这桩生意所付出的真诚努力，我将努力设法在归国前，为贵厂另寻这批货的销路，真是太抱歉了。"

…………

另寻销路？怎么可能？今天是 12 月 25 日，距离 12 月 31 日的银行还贷期限仅差 6 天了。在苦挨了一年以后，厂子终于走向破产了。

潮龙悲哀地想着，他不知自己是怎样走出东湖别墅的。

站在东直门立交桥上，潮龙与楼刚久久对视着，默然无语。他们已没有勇气走向东直门长途汽车站。他们更没有勇气去把这死讯告诉那些纯朴的人们。

潮龙忽然连连冷笑起来，声音显得很恐怖。楼刚连忙用双手扒住他的双肩，潮龙挥臂推开了他的双手："我没事，楼刚，你不觉得这是好事吗？我们终于解脱了，再也不用为那厂子劳心费力去了。破产？哼，这么一小破厂子破产算什么，人家那么大一个国际贸易公司都完蛋了，咱们算什么？挺好，挺好。"

楼刚一言不发，呆呆地凝视着潮龙，他明白，此时他说什么都是白搭。

忽然，潮龙感到腰间的 BP 机振动了起来，他取下来看了一眼，是个陌生的电话，呼叫人姓李。

他跟楼刚打了声招呼，跑到附近一个公用电话，拨通了机子上的号码。

"潮龙，我是李殊。"李殊的声音和缓而亲切。

潮龙的心一下怦怦狂跳了起来。

"李殊！你是什么时候回来的？"

"回来有半个月了。"

"怎么现在才找我？"

"潮龙，我们见面谈吧。我今天晚上 11 点多的飞机就要飞美国了。"

"美国？干吗去？"

"去经营我父亲的事业呀，我家族的事业在纽约有分支，我将在那里开始我的新生活。"

"是吗？"潮龙的声音充满了怅惘。

"潮龙，我现在是在外边，我还有一些琐事要办，咱们今儿晚上 6 点在蟾宫门口见，好吗？是为我饯行，你一定来，好吗？"李殊的声音充满了期待。

"行，我一定去！"

一对久别的情侣，终于重又双双踏入了他们的伊甸园。

李殊仍然是为潮龙叫了咖啡，为自己叫了柠檬茶，及一些点心。

李殊关切地注视着潮龙："你瘦了。"她的声音充满了怜爱。

潮龙微笑了一下："你看上去气色好多了。"

李殊轻叹了口气："哎，时间过得多快呀，想想去年圣诞夜的事就跟昨天才经历似的。"

潮龙转而问道："你为什么不一回来就呼我呢？"

"做出出国这一决定，我下了半年的决心。回来以后，又要办辞职手续，又要办签证什么的，需要花费许多时间，我怕在办妥这一切之前见到你，我会改变初衷，所以就只好定在临上飞机前见你了。老实说，时间这么紧，我真没有把握，总算是苍天有眼，还能让我临行前见你一面。哎，先说说你吧，你那批条绒裤已做完了吧？这回你总算富了。"

"嘿，"潮龙冷笑一声，"今儿全赶一块儿了。你要走了，我破产了。"

"怎么回事？"李殊惊问。

"给我订单的那家公司，被一起行贿事件葬送了。城门失火，殃及池鱼。我就成了那池鱼了。"

"还能挽救吗？"

"能，让我当新加坡总理。"潮龙没好气地说着，"再过 6 天，银行就该来封我的厂门了。"

"潮龙，别灰心，你还会东山再起的。你不是说过吗，总有一天，你会在上帝给你开的成功账单上画上最后一个钩的。"

潮龙的神情忽然悲戚起来："李殊，我还得等多久呀。在我的记忆里，我记得我总是对自己说：'潮龙啊，这回你可一定得成功啊，你不能再失败了，否则对于雅宝路的那间小屋来说，挨饿的将是两张嘴。'可直到现在，我还在对自己说这话！"潮龙说着，眼圈湿润了。

"潮龙！"李殊一声哭叫，将头埋在了潮龙放在桌面上的手心里，"求求你，别再说这些了，我就要走了，说点让我高兴的吧。"

潮龙用另一只手使劲擦了一下两个眼圈，努力换了一种口气说："好吧，别谈我了，说说你吧，怎么就决定不做寓婆了？"

李殊抬起脸，擦了一下泪水，用双手握住潮龙的手，轻缓地说着："是你，潮龙，是你改变了我。在认识你之前，我就像一座宁静的港湾。你的到来，就像是海啸一样，撕碎了我的宁静，你把我卷到了浪尖上。在香港这半年多时间里，我一直在苦苦地思索，反省我的人生。最后我得出了结论，你做得对，人活着，就应当奋斗，在奋斗中去改变自己，改变自己周围的世界，这才是人生的主旋律。我真是很感激你，潮龙，你重塑了我的灵魂。"李殊说着，泪水又悄然滑落下来。

潮龙用手帮她揩干泪水，微笑着说："我早有预感，你会变的，我只是痛恨上帝为什么要用我们之间的感情痛苦来促成这一改变。"

"这是劫数，我们在劫难逃。"

"我心甘情愿！"潮龙坚定地说。

"我也是！"李殊更加坚定。

…………

李殊看了眼表："我得去赶飞机了。"

"好吧。"潮龙示意小姐结账。

潮龙掏出钱夹，把里边的钱全掏了出来，看都没看就交到小姐手里。李殊注意到了这一情况，她忙说："噢，让我来结吧。"

潮龙恼怒地盯视了她一眼。李殊不作声了。

站在马路边上，李殊一边等着拦的士，一边对潮龙说："潮龙，你送我吧。"

"不，我会伤感的。"

"那这样吧，你送我到和平街北口，我们第一次相遇的地方，你再下车，我让司机绕一下。"

"好吧。"

的士向着三环路方向驶着，潮龙与李殊并排坐在后排。潮龙搂着她的肩，李殊把头枕在潮龙的胸前，两人谁也不说话，车厢里静悄悄的。过了一会儿，许是司机耐不住沉闷，他打开了车里的音响。

"Say you, say me, say you together naturally …"（说你，说我，一起谈话，自然又亲密……），Lionel Richie（莱昂纳尔·里奇）那如泣如诉的歌声瞬间飘荡在了狭小黑暗的空间里。

两人紧紧依偎着，在静静的谛听中，感受着一种悠远的意境。

车已过了安贞桥，再有两里路，就到和平街北口了。两人都不自觉地紧张了起来。

李殊有些无意地抓起了潮龙的皮手套，戴在了自己的双手上。潮龙看了一眼，赶忙说："快摘了吧，多难看啊。"

"不嘛，让我戴会儿，下车再给你。"李殊撒着娇。潮龙无奈地打住了。

车子终于停在了和平街北口，两人都不约而同地向着潮龙曾拦过车的地方望着，望着……

随后，他们都把目光投向了对方。从炽热的凝视中，他们都看见了对方的眼中滚动着的泪花。在这相视后，他们将天各一方，命运将何时安排他们再重逢呢。几乎同时，对视的双眸中泪水涌出。两双唇猛地撞击到了一起，他们拼命地狂吻着，像是要把心中全部的爱全在此时此刻注入到对方的生命中。泪水不断地从他们的激情旁滚落，已分不清那是谁的泪。

司机从后视镜里看了他们一眼，随即关闭了引擎和音响，车厢里顿时静得只有激情撞击的声音……

潮龙终于站到了车外，一直目送那贴在后车窗上的泪脸消失在夜幕中。

他缓缓地将手伸进皮手套中。忽然，他的手触到了一张硬纸，他取出来一看，是一张簇新的大钞。

直到最后一次，仍然是李殊为蟾宫的浪漫埋了单！

潮龙悲情地在三环路上狂奔着，追逐着那早已消失的车影……

第五章

一

山重水复

　　尽管死神已开始叩响事业之门，但潮龙还是决定坦然面对。圣诞节的第二天，他们便一早来到了东直门长途汽车站，踏上了一辆开往平谷的小公共，静静地等候着满员的时刻。

　　车厢里才坐了5个人，离发车时刻尚远。楼刚掏出烟，递给潮龙一支。平时不大抽烟的潮龙，此时略犹豫了一下，还是接了过来。

　　在烟头飘起的袅袅青烟中，潮龙的神情陷入了一种缥缈的遐思中，良久，他对楼刚幽幽地说："李殊走了。"

　　"去哪儿了？"

　　"美国。"

　　"唉……"楼刚长长地叹了一口气。

　　"在纽约的华人企业中，即将崛起一位女强人。"

　　"而我们却在走向毁灭。"楼刚慨叹。

　　两人又沉默了……

忽然，潮龙感到BP机振动了起来，他连忙取下观看。楼刚也凑过头来："谁呀？"

潮龙取出密码本，核查了姓氏。

"姓金，是金先生！"潮龙一惊。

"他是不是给咱们找着辙了？"

"快走！"两人说着迅速地蹿下了车。

呼叫潮龙的正是金先生。

"肖先生，我已经为你找到了一家客户，请你记一下。"

潮龙赶快把公用电话夹在耳边，掏出一支签字笔和一本通讯录。

"盛世集团商业贸易总公司，总裁，孟飞。这是中国商业部下属的一家大型公司，主要业务是做综合贸易。我同这家公司的老板孟飞很熟，他是一个年轻有为的领导人物。为你的事，我探询了不少有过业务来往的商业公司，正巧盛世公司正准备要在内蒙古的二连浩特市筹办大型的中国边境贸易产品展示促销会。二连浩特市是中国对蒙古、苏联边境贸易非常活跃的一个重镇。我想你厂的产品很适合参加这种活动，就把你推荐给了孟飞，他表示很感兴趣，初步表示，如果价钱合适，他愿意把你的货全接下来，具体事宜，你们见面详谈。我现在把他的地址电话告诉你……"

在位于海淀区高科技产业区的一座十层楼的宏伟建筑中，潮龙与楼刚见到了盛世集团商业贸易总公司的总裁孟飞。

一见面，潮龙与孟飞全都愣住了。

"肖潮龙，原来是你呀！"孟飞惊叹。

"孟飞！听金先生一说这名字，我就觉得耳熟，我还以为是重名重姓呢。"

"哎呀，真是太巧了，快请坐，请坐。"

潮龙连忙介绍："这是我搭档楼刚，这位是……"潮龙想着如何措辞。

"拳友，拳友。"孟飞连连说着。

"对，对，是拳友。"

"你好。"孟飞向楼刚致意。

"你好。"楼刚回敬着。

潮龙继而向楼刚介绍："我们原来在大学的时候全都是拳击迷。我是北大的队长，孟飞是北京商学院的头份，他比我大两届。"

"噢……"楼刚总算明白了。

"什么头份呀，那次在高校联赛上争拳王的时候，你给我那记大摆拳，瓾得我这右脸颊软组织挫伤，害得我在学校食堂喝了半个月的粥。食堂的大师傅还以为我生活困难了呢。"

"我也不比你好受，那次我这右半拉脑袋让你那重拳狠逮逮击得直偏头痛，我差点儿以为得了脑震荡，天天坚持半个小时倒立，过了一礼拜才缓过来。"

三人全都笑了。

这时，孟飞的秘书小姐给三人沏好了茶，放在三人面前。

"哎，潮龙，后来我听说你半道退学了。"

"是啊，穷人的孩子早当家嘛……"

潮龙将自己的经历对孟飞历数了一遍，最后把话题落到了这桩条绒裤的生意上："总之我这点儿一直都挺背，好不容易，趔了歪斜挨到了现在，又赶上东信公司那么一桩事，彻底把我搁菜了。"

孟飞一直凝神静听潮龙的讲述，偶尔他还皱了皱眉，他被潮龙的奋斗经历深深感动了。听完，他思索了片刻，轻叹了一声："哎，啧，真没想到，你一直这么苦熬了过来……哎，潮龙，你到我这儿来干吧，我这儿的所有经营内容中，唯独没有服装。你在这行中干得也不算短了，我想你一定很在行。我给你单立一部门，就叫服装贸易开发部，就由你全权负责，你撒开了欢儿折腾，经费上你尽管放心。我这公司注册资金五千万呢，家底子厚，而且每年效益在部属公司中都是名列前茅的，后盾你尽管放心。你根据你自己的能力定个任务指标，完成上交利润以外的全是你的。你看怎么样？"

潮龙简直心花怒放！他与楼刚激动地对视了一眼，互相点了下头："行，孟飞，我答应。干了这一年半的服装加工，我也看透了，指着工业挣钱太难了，要赚大钱，还是得玩儿商业贸易，做真正的商人！不过，我想让你帮我一忙。我不能把这么一个破产的厂子扔给老于就这么掉头走了。那我太不局气了，人家抛家舍业支持我冒险，我总得对得起人家。你看这样行不行？我这10000打条绒裤如果不出事，东信公司应当支付我300万的款子；为做这批活，我向银行贷了180万；工人们干了近一年都不容易，厂子也有些亏空。你能不能用200万把这批货给我盘了，还了银行贷款，剩余的钱，我也不跟他们分利润了，只当是对他们支持我创业的回报。这批货接过来以后，我作为进你山门的第一桩生意，给它擂出去，再把钱挣回来。你不是马上要在二连浩特开边贸会吗？我争取就在那儿落地开花。你看行吗？"

"行，没问题，我马上让会计给你开张200万的支票。"孟飞的话很干脆。

否极泰来，潮龙与楼刚的事业终于出现了生机！

老于、老朱和所有华诚服装厂的工人以依依不舍的心情送别了这两位曾与他们共同生活奋斗了一年半的年轻厂长。

新年过后，他们取得了辉煌的成绩，在二连浩特，将那10000打条绒裤全部脱手。为盛世公司赢得了新年后第一笔利润。初战的成功，极大地鼓舞了他们，他们满怀信心迎接新挑战！

这天，潮龙与楼刚正在办公室中专心致志地审核着一项投资计划的可行性，门口走进来一个人。

"潮龙，楼刚，哎哟，二位别来无恙乎？"

见此人1.78米的个头，身材适中，一身笔挺的西服，足蹬意大利名牌皮鞋，手持大哥大，梳着华尔街大亨似的大背头，油光锃亮。此人名叫武耀山，是个生意掮客。他有着一种异乎寻常的经济头脑，只要有人肯拍替，他能把他家的尿盆刷上仿古瓷当文物出售。生意圈中此人也算小有一号儿，圈里的人都习惯于按他名字的谐音称他为"我要煽"。潮龙和楼刚曾与此人有过接触，但因其做的生意太杂，所以一直没有对口的生意可做，故也只能称得上是泛泛之交。今天看到此人上门，潮龙意识到，这家伙一定有了什么好项目。

"哎哟，要煽，最近又哪儿煽去了？"楼刚拍着他的肩膀调笑着。

武耀山很大气地往沙发里一靠，摆了摆手道："哎，忙坏了我啦，这不刚从俄罗斯回来，跟叶利钦谈了一揽子对俄经援计划，准备给他办一笔人民币巨额贷款，帮他扶植一下俄国经济。"

"噢，那让您老操劳了。"潮龙忧心忡忡地说道。

"哎，那倒没什么，只是这俄国红菜汤，我始终也喝不惯，到底是炎黄子孙啊！"

楼刚无奈地看起了天花板。潮龙则神秘地问道："哎，那克里姆林宫的门冲哪儿开呀？"

"嗤！对于一个终日思考用中国的轻工产品换取俄国的高军工技术以及建立泛东南亚自由经济贸易区的头脑来说，哪还有心思去注意这些琐事。呃，再者说了，每次我乘坐的总统专用直升飞机都是直接降落在克里姆林宫里的草坪上。"

"是吗？！"潮龙与楼刚非常夸张地交换了一个吃惊的眼神。

"我说苏联怎么解体了呢！"潮龙一副扼腕叹息的样子。

"得了，二位，咱们言归正传，你们想不想跟俄国人做买卖？"我要煽一下子严肃得像一个华尔街大亨。

"这么说，我也能有幸跟叶利钦聊聊了？"潮龙兴奋地问道。

"我说，咱不打岔了啊，这真是一桩大买卖。我现在给这儿干活哪。"要煽说着掏出一张名片，递给潮龙。名片上印着：

　　对独联体国家贸易战略研究会远东经济贸易开发实业有限公司武耀山
　理事常务代办

潮龙心里暗自好笑，看来这小子又傍上大款了。

"潮龙，我来给你讲讲这公司是怎么回事。这还得从国际形势上讲，苏联这么一解体，那块堆儿的人民可就慌了。你想啊，苏联当了那么多年超级大国，那人财物全都耗费在了制造什么'米格儿'飞机、'飞毛腿'导弹上了。那苏联人民得吃饭呀！虽然说，'人是铁，饭是钢'，那也不能让人家苏联人民抱着一堆无缝钢管玩命啃呀！你们瞧瞧那新闻联播里，三天两头看见那边人民向他们的政府吵吵着要面包吃，多好的欧罗巴人种，生是把一张张大粉脸饿成了菜色儿。起先我还以为是电视机颜色出了故障，紧接着一换镜头，布什在戴维营度假，我明白了问题出在营养上。食品奇缺呀。据说那边现在一块面包贵得能换一辆沃尔沃汽车。"

楼刚在一旁没好气地插了一句："你听错了吧，哥们儿，那不是面包，是金砖。"

"哎，反正是说明问题，说明问题。然后这帮独联体的头脑们就坐不住了，用他们那庞大的间谍卫星系统向地球上那么一扫，嘿，发现他们的老邻居中国，物质财富丰富得直令他们喊市场疲软！于是乎，双方贸易代表几番贸易恳谈之后，中国对独联体贸易便如火如荼地展开了。哎，我们公司就是在这样一个伟大的时代背景下诞生的。我们公司是中国环亚轻工业品进出口总公司北京分公司的一个分支。"

"是孙子辈儿的。"潮龙笑道。

"嘿！那也是亲孙子呀，总公司那拥有的一切做国际贸易的手续及便利条件，在我们这儿全能享受到。我那片子你们也看了，咱不敢说在公司是大拿，最起码也是个说话带响的人。我这次来，是要跟您二位谈一笔500吨钢材的对俄罗斯易货贸易。"

"要煽，你知道我们只做服装生意。"没等潮龙说下去，楼刚接过话茬："就是，我们要钢材干吗，做'金钟罩、铁布衫'？"

我要煽急忙截断："二位先别急，我来给你们解释这单生意的过程。是这样，最近我们公司同一个来自莫斯科的俄国官方贸易代表团进行了接触，谈就的意向是：他们给我们 500 吨钢材，型号、规格、材质由我方定，价钱当然低于咱们国家的行价。作为易货条件，他们明确指出要咱国家的同等价值的服装及日用工业品。我知道您二位是玩服装的老炮儿了。最近刚得知，你们又在盛世公司这儿落脚了，玩儿起服装贸易来了。所以一接下这生意，我立马就想到你们哥俩这儿了。怎么样，瓷不瓷咱哥们儿？我可跟我们老板拍胸脯了。"

潮龙插话："这服装这块儿，他们都要什么？"

"人家点名了，就要三样儿：羽绒服、羽绒被、高比例兔羊毛衫。"

潮龙认真地点了一下头，心中暗忖：要煽的信息是真实的。因为就在前两天中央电视台的经济信息联播节目中曾报道过一个消息，江苏张家港一家羽绒制品厂靠完成出口独联体的羽绒服、羽绒被的订单，年创利千万元以上，并且正在考虑扩大生产规模；而从平谷几家羊毛衫厂传来的消息证实，高比例兔羊毛衫正走俏于欧美市场。凭借自己的业务渠道搞到这些货并不很难，现在的问题是价格及结算方式。想到这儿，潮龙抬起头。

"我明白了，你的意思是你们公司先扎我们的货，拿我们的服装和别的单位给你们提供的锅碗瓢盆什么的去跟俄国人换 500 吨钢材；钢材换过来以后，你们再把它套现，拿卖的钱支付我们的货款，等于是空手套白狼。"

"哎——哟，您真是太明白了，就是这么回事。"

楼刚从旁问道："嘿，我就不明白了，连你们这小皮包公司都玩'空手道'倒腾起钢材来了，还要咱们国家那五矿进出口公司干吗呀？"

"在这单生意里，五矿进出口公司给我们代理进口业务，收取代理费，剩下的就是我们自个儿折腾了。嘻，您操那心干吗呀，你们这衣裳一运过去，他们那钢材一运过来，这钱你们就算挣到手了。多踏实呀，稳落。"

潮龙用手点着要煽：

"要煽，你先别激动，我提几个问题。"

"请问。"

"你要我供货的数量？"

"这 500 吨钢材总价值得在 170 万左右。我跟他们商量了一下，服装跟日用品对半撅，也就是说，那三样东西，您给我照着 80 万的上。"

"嗯，交货时间？"

"有一个月够了吗？"

"行。单价？"

"你定，当然了，最后得双方认可。"

"那当然。还有一点很重要，我要20%预付款，也就是 16 万，作为信誉保证。"

"哎，我说哥哥，我们公司好歹也是做大买卖的，注册资产就是上千万，我保证你钢材一到就……"

"否则免谈！"潮龙语气很坚决。

"好，好，好，我跟老总商量一下，估计没问题。"

"剩下的 64 万何时付清？"

"钢材到岸后一月之内。"

"我得跟你签个合同。"

"没问题。明天一早 8 点 30 分我在公司等你们，名片上有地址。咱就这么说定了，还有什么细节不清楚的咱明天签合同时再说。怎么样？"

"行，希望我们这次合作成功。"

"那绝对呀。你们能意识到这单生意的深远意义吧？俄国人民会感激你们二位的，我会让叶利钦明白，是哪两位伟大的中国商人给他的人民送去了温暖！"

潮龙瞟了楼刚一眼："我觉得他比俄国人还激动，在他眼里，我们都成了哈默博士了。"

楼刚也笑着不无揶揄地说道："要煽，下次再去俄国，帮我捎两块面包去。"

"干吗呀？"

"换两辆沃尔沃回来呀，我们哥儿俩现在还骑自行车呢。"

"等你那俩面包送到俄罗斯都馊了。"

"那就换两辆旧的吧。"潮龙紧接一句。

"得了二位,不跟你们扯淡了,我还得赶紧去趟正义路,俩朋友托我办的保加利亚护照今儿该取了。明儿见啊。"

目送我要煽的背影消失,楼刚感叹道:"这孙子丫整个就是一口儿贩子!"

"我倒是觉得,他要生在美国,早被好莱坞发现了。"潮龙微笑着摇了摇头。

第二天,潮龙与楼刚循着名片上的地址来到了北京饭店,乘电梯来到了5层,在一个房间门口停住了脚步。在门边的墙皮上钉着一块铜牌匾,上面印着"对独联体国家贸易战略研究会远东经济贸易开发实业有限公司"。

"来吧,二位里边请,我已恭候多时了。"门开处,我要煽热情地迎了上来。潮龙四下环视了一下,这是一个带套间的客房。房间右手是一排转角沙发,正对面是一对对起来的办公桌,左手靠门边是个一人多高的文件柜,柜边是连着套间的门。室里还有两个女办事员正在工作着。

要煽请两人在沙发上落了座,递上两支万宝路,吩咐其中一位女办事员沏茶,随后推开了套间门冲里边说道:

"郑总,肖经理他们来了。"

潮龙和楼刚这才注意到套间里坐着一个50岁上下的中年人,秃脑门,只在后脑勺上有一些稀疏的头发。套间里的摆设显然很考究,又是名人字画,又是檀木办公桌、落地台灯什么的。

此时,这位郑总已从办公桌后的皮转椅上挪起了他那略显发福的身子,走出了套间。

"我来介绍一下,郑总,这位就是我跟您说的肖潮龙经理,这位是副经理楼刚。"

潮龙和楼刚微笑着伸出右手。

"这位是我们公司老总郑林藻先生。"

129

"幸会"，"幸会"，一片寒暄声后，四人在转角沙发上落座。

郑林藻首先说道："两位经理及所在公司的情况，要煽已向我详细介绍过了。关于我们这次进行的这单钢材易货贸易，想必二位也已有所了解，是吧，要煽？"郑林藻转头看了眼要煽。

"对对，所有交易过程，他们都知道，这不今儿人来就是跟咱签合同来了嘛。"

郑林藻很友好地笑了笑，继续说道：

"承蒙二位协助，大力促成这单生意……"

潮龙赶忙接话："双方互利互惠，互利互惠嘛。另外，郑经理，我昨天同要煽谈到我们供货的先决条件是，必须先收到20%的预付款。"

"这个可以嘛，大家都是头一次打交道，我能理解你的心情。"

正说话间，房间门被推开，走进来一男一女两个外国人，后面还跟着一位翻译模样的人。

要煽立马像见到故友一样亲切地迎了上去。

潮龙和楼刚也一起随着郑林藻站起了身。

要煽热情洋溢地一下站在了那个翻译的前面："来来，二位，我给你们介绍，这两位就是来自莫斯科的俄国官方贸易代表。这位女士是柳德米拉·芭拉卡夫叶芙娜同志，这位是瓦夏·斯捷潘·斯捷潘诺维奇·卡季扬诺夫同志。"

听着这两串听一遍绝对记不住的俄国名字从要煽嘴里如此自然、顺畅地滚出来，潮龙心中暗自好笑，这家伙能有今日的流利，一定做了一番废寝忘食的努力。

紧接着，要煽又操着洋味汉语指着潮龙两人冲着俩俄国人说："肖潮龙，楼刚。"

俩俄国人糊里糊涂地冲着两个陌生的中国人点点头。

郑林藻不满地瞪了要煽一眼。

这时，那个翻译挤上来对郑林藻说："郑经理，俄方代表要求在我们的易货贸易协议中，在交割程序上再做几点补充说明。"

"好吧，你先带他们到对面房间的谈判室等我，我跟这边客户交代两句就过去。"

翻译带俩俄国人走出了房间，原来在过道对面还有一间公司办公室。

郑林藻此时转身对潮龙及楼刚道："你们看真是不巧啊。不过，要煽已经把你们昨天谈好的内容向我仔细汇报过了，我看没什么问题，就照你们昨天谈好的签合同吧。要煽，你来办这项工作吧。二位，我失陪了。"

"郑总忙您的吧，这儿交给我了。"要煽神气活现地应着。

"郑经理请自便。"潮龙与楼刚分别同郑林藻握了握手。

要煽将他的老总送出了门，反身关上门，笑嘻嘻道："二位，我们开始吧。"

潮龙随着要煽的引领坐到了办公桌前。楼刚已从随身携带的公文包里取出了合同纸及合同章。

一回到盛世公司，潮龙同楼刚便径直来到总经理办公室。

孟飞正接着一个电话，见二人进来，用手示意他们落座。少顷，孟飞通毕电话，接过楼刚递过来的烟，点燃后，笑吟吟地问道：

"哥儿俩今儿这么精神焕发的，是不是又做什么大买卖了？"

楼刚接话道："我们接了笔 80 万的生意。"

孟飞感兴趣地问道："呵，怎么回事，给我讲讲。"

潮龙于是一五一十地把这桩生意的来龙去脉讲了一遍。

孟飞仔细地听完，然后说道："这类生意目前确实不少，而且成功的概率也比较高。只是你说，他们把易货过来的钢材再卖掉才能达到赢利的目的。你了解他们同俄国人成交的钢材价格吗？"

潮龙答："每吨 3400 元。"

孟飞点点头："噢，这个价格在目前确实很优惠。我知道的现在钢材市场上的成交价大都在 3700 元～ 3800 元。不过这也不是绝对的，像股票一样，钢材的价格也是随时涨落的。最近因为咱们国家新上马了一些钢铁锻造企业以及一些房地产建筑工程，所以钢材的价格一下飞涨了起来。你知道以中国这样一个泱泱大国，每年的钢产量比起日本、南韩等国简直是少得可怜。为此，许多大的钢铁企业，比方说首钢吧，正准备在山东，建一座年产千万吨级的齐鲁大厂，并已从一家倒闭的美国钢铁企业手里买回了整套的现代化炼钢设备。其他一些像什么宝钢、鞍钢等企业也正在实施扩大生产规模的计划，再加上一些国家调剂的进口钢材，对于钢材市场的冲击都不会小，目前的高价位不会太久。这单交易完成全过程需要多长时间？"

"不超过两个月。"潮龙回道。

"也许在这个时间里，钢材价格不会有太大变动。"

楼刚从旁有些不解："就算钢材价格跌到了 3400 元以下，跟我们也无关，到时候让他们按合同付我们 80 万就算齐活。"

"不，楼刚，"潮龙止住了楼刚的话，"我明白老孟的意思。实际上这单生意，我们与郑林藻的远东公司的利益休戚相关。最好是最后大家皆大欢喜。"

"对。"孟飞此时掐灭了烟蒂，实质性地问了一句，"潮龙，你这 80 万的买卖里，有多少利润？"

"不低于 20 万。"

"噢，那还可以，也就是说，你需要从公司这边预支 60 万去办这些货。"

"不，是 40 万，因为我已从远东公司收取了 16 万预付款，另外我的部门里还可动用一些周转资金。"

"嗯，行，你干吧。"孟飞说完在一张请款单上签了字。

三天后，潮龙与楼刚的身影已出现在安徽省阜阳市的大街上。根据从中国毛针织品进出口公司得到的情报，阜阳是中国的兔羊毛衫重点出口生产基地。在潮龙的身上揣着一个地址，他们将从脚下的这片土地上，攫取那未来 20 万利润中的一部分。

二人按图索骥在阜阳市郊附近的一个小镇上，找到了地址上的厂家——丽华兔羊毛衫厂。

厂子拥有两座各占地1500平方米的双层厂房，在厂房的对面，相隔几十米远，是一座漂亮的带走廊的办公小楼，在两座建筑的中间地带上，有一个梅花形的带一座仙鹤雕塑的水池。显而易见，连年的出口创收，给这家乡镇企业所带来的富裕风貌，淋漓尽致地体现在了标致的建筑风格上，从而与笼罩在整个小镇上的那种贫穷氛围显得格格不入。

在办公小楼的门前，二人惊讶地发现，竟停着一辆宝马牌高级轿车。

潮龙打趣道："嘿，想不到这山高皇帝远的小地方，还真藏龙卧虎啊。难怪朱元璋能从这儿冲出安徽，走向全国呢。"

楼刚也兴致勃勃地说："还没准这车是这儿的人用朱元璋的珍珠翡翠白玉汤跟德国人换的呢。"

"嚯，安徽人太聪明了，居然能用刷锅水去换马克！德国人一定疯了。"

"你这就左了吧，珍珠翡翠白玉汤，多响亮的名字，也算得上是中国古代一代名饮，说不定还是安徽省重点出口创汇产品。合着就兴外国人发明了叫啤酒的马尿来灌我们中国人，就不兴我们中国人用珍珠翡翠刷锅水去给他们洗洗肠子呀。"

"也是，也是，不管怎么说，用刷锅水换宝马，总比要煽的用面包换沃尔沃值多了。"

"要煽现在准打喷嚏呢。哎，真的潮龙，说不定哪天在科尔总理主持的招待外宾的国宴上，从一只只精制的白兰地瓶子里倒出来的就是这种中国名饮。"

潮龙笑弯了腰："楼刚，我敢跟你打赌，科尔总理要是敢用这种中国名饮招待外宾，一准儿欧共体得开会表决将德国开除出去。"

在二楼的厂长办公室，一位姓张的办公室主任接待了他们。楼刚说明了来意。那位主任说道："二位先生坐下喝茶等会儿，我们厂长陪德国客商正在车间里验活儿呢。"

潮龙与楼刚交换了一个眼神，此刻他们明白了楼下那辆宝马车的来历。

这位张主任显得对这两个来自北京的衣冠楚楚的商人很恭敬，一再添茶。潮龙与楼刚也慢条斯理地与他闲聊着。约莫过了半小时，楼下传来一阵汽车引擎发动的声音，夹杂着一些人声。潮龙听到从中还传来几声嘟噜，他估计那应该是德语。他冲楼刚挤了挤眼："看来德国人喝坏了肚子，他们后悔了，他们要把车开走了。"

楼刚凑趣道："不，是安徽人胃口高了，他们不想换宝马了，他们要把有限的名饮去跟美国人换卡迪拉克了。"

潮龙绝望道："完了，看来布什无望连任了。"

张主任莫名其妙地看着这两个人，嘿嘿傻笑着，他不明白他们在说什么。

潮龙与楼刚终于握住了厂长的手。厂长名叫马祖旺，朴实得就像安徽乡野间任何一种平凡的小植物。此人看上去35岁左右的年纪，梳着一边倒的无缝发式，黝黑的脸颊与上面风霜吹打出的皱褶，显示着他曾经是个长年与土地打交道的农人。也许现在在他家的屋后，还有着一亩二分的自留地。

他上身穿一件那种领子开得很高的带着十足农业情趣的毛麻衬西服，脖子上套着一根"易拉得"领带。就是北京大街上外地人卖给外地人的那种带拉锁的领带。下身着一条绝对不含毛的化纤类裤子，膝盖上拱起两个大鼓包。脚上穿了一双改革开放初期曾风靡大江南北的港式高跟儿盖儿鞋。楼刚还注意到，在他右脚的鞋跟处，沾着一小块儿不易察觉的驴粪。

潮龙非常诚恳地述说了自己的目的。马祖旺听后，有些为难地说道："肖经理，这个事情不太好办。因为现在我的厂子里加工的活，全部是给德国法兰福克一家公司的。"

"法兰克福。"潮龙更正道。

"哦对，我没有什么文化，你不要见笑。"马祖旺不好意思地笑了一下，"德国人给的工期非常紧，他们还经常来检查进度，噘，刚才就是他们的一个业务经理看过以后刚刚走了。我实在是没有工时为你做呀。你要多少呢？"

"5000件。"

"是呀，这么多，我没有办法呀。"

楼刚有些丧气，潮龙却继续说道："马厂长您能不能带我们到厂子里，我想看看你们的产品。"

马祖旺想了想："好吧，你们跟我来。"

三人走出了厂长办公室，向楼下走去。潮龙故意岔开了话题，同马祖旺聊起了别的。

"马厂长，我看厂里的效益很不错嘛。"

"还可以呀，主要靠做出口的订单。"

"你们一直都在做出口的活儿吗？"

"是啊，有5年多了。"

"那你们一定都富得流油了？"

"没有的事呀，做一批活下来，外贸公司要赚一些，镇委员会要收一些管理费，交了税后，工人还要开支。工厂要打掉一些折旧费用，不赚什么钱的。"

"我看厂子盖得还是蛮气派的。"

"啊，脸面总还是要有的，外国人对厂容厂貌很看重的。"

"那像您一个月挣多少钱？"

"200来块，跟工人挣的差不多了。"

"家里生活还是不错的吧？"

"马马虎虎。老婆在家里种责任田，我有六个小孩，还有一个老母亲。"

"哦，您有六个小孩儿。"潮龙与楼刚互相交换了一个不易察觉的气愤的眼神儿。

"是啊，大的15岁了，小的也已6岁了。"

谈话间，三人已走进了车间。在这里，潮龙与楼刚惊喜地发现，厂里生产的正是他们所需要的品种。趁着马祖旺与一个工人说话的工夫，潮龙对身边的楼刚压低声音说道："我非得从他这儿挤出5000件儿来不可！"

"你有什么好办法吗？"

"现在已到中午了，待会儿给丫拽到镇上，上了饭桌儿再说。"

"行。"楼刚意识到潮龙心里已有了胜算。

走出厂房，来到空场上，潮龙对马祖旺说道："马厂长，您看这大半天给您添了不少麻烦，我们哥儿俩挺过意不去的，现在也是中午了，咱们一起到镇上吃顿便饭。我们请客。"

马祖旺连连摆手："不了，不了，我中午回家吃饭，不劳你们二位了。"

楼刚装作不满的样子："马厂长，您太不够意思了，我们哥儿俩大老远从北京来这儿，人地生疏的，您就尽地主之谊陪陪我们，区区小事，扯不上党性原则吧？"

"还有一点，"潮龙补充着，"我们哥儿俩在北京的时候就听说安徽菜特有风格。明朝时候差点儿统一了中国五大菜系，大江南北争吃安徽菜。那会儿的安徽人就跟现如今的美籍华人的脸那么粉。据野史记载，努尔哈赤是因为无法令自个儿接受安徽口味儿才揭竿起义，推翻明朝的。可见那时安徽菜已普及到了什么程度。我们其实没别的意思，就想让您给我们当回导吃。"

"没错，老马，想当年你们那老祖宗朱元璋到我们北京时，我们北京人待他可不薄呀，好吃好喝好待见着还让他住皇宫里，现如今我们北京人到你们安徽地界儿来，让您陪着吃顿饭，不过分吧？"楼刚跟着起哄架秧子。

二人你一句，我一句，终于感动了这位安徽农民。正巧此时中午收工的铃响了。

在镇东头儿的一家小饭馆里，三人落了座。潮龙看到墙上的一块大黑板上写着菜谱，菜的价格便宜得像北京的机关食堂。楼刚点了几个最贵的菜。尽管如此，他还是觉得标准低得不像请客。

马祖旺咀嚼的速度表明了他的胃口非常之好。潮龙呷了一口啤酒，望着马祖旺道：

"马厂长，刚才我们经过镇上的时候，我感觉到镇上的人家不很富裕啊。"

"肖经理，我们这里其实很穷。田里的劳力富余很多，大家就大都跑到外面去打工，你们北京不就是我们安徽的小保姆最多吗？"

"马厂长，出去打工的人有没有挣了大钱回来的？"

"有也是很少的。"

"那像镇上的人发了财后最想干什么呢？"

楼刚看了潮龙一眼，他有点意识到了潮龙的意图。

"盖房啊。"

"盖房？"

"对，我们农村人一生中最重要的事情就是盖房子，然后是娶老婆、生孩子。"

"你家里的房子一定很不错吧？"

"哪里呀，说来不好意思，我现在住的两间房是祖辈传下来的。我盖不起新房子呀。嘿嘿。"

"九口人住两间房够挤的。"楼刚插了一句。

"那也没有办法，待小孩长大了去做工挣钱才可以改变一下了。"

"盖房要花多少钱？"

"不一定，一般的也要 8000 块，好一点要上万块了。"

潮龙在心里飞快地计算起来，8000 块与 10000 块分别摊到 5000 件里单价是 1.6 块和 2 块。也就是说，如果用 10000 块钱作为回扣诱使马祖旺挤出 5000 件兔羊毛衫的话，只意味着每件成本增加 2 块钱，对最终利润影响不大，当然了，这里面还需使用一个心理策略。

想到这儿，潮龙忽然话锋一转，语气咄咄地说道："马厂长，我想让您从厂里为我挤出 5000 件兔羊毛衫。"

马祖旺一愣："我不是说过……"

潮龙未等他说完抢道："作为回报，您将得到 8000 块钱，这样您就可以建造新居了。"

马祖旺此刻停止了咀嚼，潮龙与楼刚对望了一眼，轻轻地补了一句："用现金支付。"

马祖旺难过地瞟了潮龙一眼，嗫嚅地道："这样不太好吧。"

楼刚此时说道："老马，就以您那每月 200 多元钱再加上地里那点收成，恐怕您一辈子也挣不出那盖房钱吧，九张嘴都喂不过来。您拿这钱也没什么昧心的，您帮了我们哥儿俩大忙，这是您应得的酬劳。"

马祖旺沉吟了半晌，说道："可是我已跟外商签了合同，到期不能完成订单，是要负违约责任的呀。"

潮龙启发道："您设想一下，要是在生产过程中发生了某些意外，比方说长时间断电，设备出现故障未能及时发现导致出现大批残次品，甚至还有更伤心的，一场流感肆虐了厂里 60% 的工人。恐怕在德语里也能找到'天有不测风云，人有旦夕祸福'这话吧。"

"要是给他们知道真相，我就连这每月 200 多块都挣不到了。"

"可您的六个孩子会在新居里围着您快乐地歌唱的。"潮龙的声音亲切得像上帝在传播福音。

马祖旺用勺子舀起一大勺虾仁送进了嘴里，大幅度地嚼着，像是在下某种决心。

潮龙朝楼刚很轻地会心一笑，心想，该使最后一招杀手锏了。随后，他缓缓地说道：

"马厂长，您活了 30 多年，这样的好事能碰上几回呢？您只要用您的智慧冒一次小小的风险，就会得到一幢价格 8000 块的新居，喔，不，现在这幢新居的价值已上升到 10000 元了。"

············

5 天后，潮龙与楼刚在阜阳车站货运处填写货运单。单子上货物名称一栏内写着"兔羊毛衫"，到站一栏上写着"北京广安门车站"。

在江苏的常州以及毗邻上海的昆山开发区，他们轻松地搞到了羽绒被及羽绒服。

25 天后，一批贴有"远东经济贸易开发实业有限公司"发货签的货物，被装上了开往莫斯科的东方快车，随着一声长笛，驶出了北京站。

生意进展得顺利，令郑林藻非常兴奋。这天早上，他比平时晚半小时走进办公室。刚一进门，秘书小王就向他汇报道："郑经理，刚才西南轻型汽车制造厂的严厂长才来过，他让您等钢材到货后务必给他留住。"郑林藻平淡地应着："知道了。"他已经不感到新鲜了。这几天，要煽把这批钢材的事往外边这么一放风，他办公室里的电话就像炒爆豆似的响个不停。

他进了他的单间，给自己泡了一杯茉莉花茶，他就爱喝这口儿。秘书小王曾试图用雀巢咖啡使他的口味国际化，但她失败了。郑林藻只尝了一口，眉头就皱得能夹住一只蚊子。他实在不明白，这苦药汤子似的东西到底好喝在哪儿？外国人竟发明这种令人发指的东西。

在他的头脑中，外国人都是一些无法理喻的茹毛饮血的动物，他们喝生鸡子儿，他们吃带着血丝的牛肉，他们甚至吃一种散发着臭脚丫子味的东西，在汉语里，那东西居然无耻地叫奶酪。看着他的部下们愉快地喝着那苦药水儿，还摇头晃脑地学着电视广告里的样子说上一句："味道好极了！"郑林藻的心都伤透了。

提到广告，他的气儿就更不打一处儿来。他认为电视台一定是严重受贿了，他们把民族气节都丧失了，为了使更多的中国人受骗，几年来，他们一直致力于这种苦药水的宣传工作。他们竟然找了那么多漂亮的小人儿围绕着那苦药水儿编了那么多动人的小故事。最后都要让他们言不由衷地说上那句连小孩子都神经病似的动不动就挂在嘴皮子上的广告语。看着电视机里热气腾腾的杯子旁那一张张陶醉的脸，郑林藻简直怀疑那杯子里盛的会不会是那褐色的药水儿的替代物麦乳精什么的。尽管如此，他还是认为，美元、马克、法郎，甚至土耳其粮票儿，都是很不错的东西。

此刻他呷了一口茶，悠闲地靠在皮转椅里，盘算着这单生意所能获得的利润。现在的钢材市场是有行无市，他这 500 吨钢材势必造成狼多肉少的局面。按时下的价格 3800 块成交的话，他每吨可挣 400 块，500 吨就是 20 万。（20世纪 90 年代初期中国社会通胀率低）20 万啊，他几乎没费什么力气，就唾手可得了。郑林藻一激动，差点儿把那杯热茶倒鼻子上。"我真是个命运的宠儿啊！"他极富诗意地自叹了一下。是的，他的确够幸运的。

中国环亚轻工业品进出口总公司是直接隶属于轻工业部的国家级大公司，它的贸易网络遍及国内外，每年的贸易额达几十亿美元，实现贸易顺差达几千万美元。

郑林藻刚进入这家公司时，只不过是个人事部的小科员，但他却有着他的许多同事们所没有的权利欲。但他经历平凡，背景简单，又没有什么出众的才能，不可能莫名其妙地出人头地。这使他颇费脑筋，如果套用鲁迅先生的一句话，那就是他把同事们喝茶看报纸的时间都用来思考如何使自己博出位的努力上了。

要脱颖而出就得尽量表现自己。他苦苦地寻觅着机会。终于有一次，公司逢春节放假，他一人承包了假期间的全部值班任务。他的坚决令同事们非常感动，同时也很能理解，毕竟那是个出雷锋的时代。

从大年三十晚上一直到初五早上公司全体员工不上班，他像个孤魂野鬼似的在公司空荡荡的大楼里游荡着。以至于他妻子不得不含着泪向来拜年的亲友们解释，他正在海参崴跟苏联人谈一笔剃须刀的进口生意，因为在苏联是没有春节的。他的女儿郑媛也跟探监似的一天三顿往"海参崴"送着食物。他得到的回报是，在他的办公桌上，堆满了同事们在过年时收到的点心礼盒。

渐渐地他意识到，公益心并没有使他获得一官半职，却使同事们越来越接受了他公仆的形象。于是他决定调整战略了。同事们在惋惜地怀旧之余，无不惊叹毛主席的英明："一个人做一件好事并不难，难的是一辈子都做好事。"可他管不了同事们怎么想，他瞧不起他们，认为他们迟早是他棋盘上的一个个棋子儿。

老实说，他着实茫然了一阵。紧接着，他开始遍阅古籍，希望在古人身上找到升迁之道。其中他的最大收获是，他认为中学时的历史老师简直是在误人子弟，因为他对于许多历史意义的解释，几乎是荒谬的。他对中国历朝历代的伟人进行了遴选。

最后他把冠军给了曹操。他认为曹操是三国时，也是整个古代最伟大的政治家，他是典型的靠个人奋斗使自己从卑微小民混到堂堂一国之相的奇人。他能挟天子以令诸侯，皇上的威严被他装在袖子里。像如今世界上，日本、英国这两国的皇室那么无奈于他们的内阁政府，这局面的形成，一定是受曹操的影响。

他仔细地研读了《三国演义》中关于曹操早期生涯的章节。发现曹操原来只是董卓手下的一个递不上牙的小官儿，好不容易有回给董卓点一炮儿，人还没领情。后来曹操第一回煽起来，是纠合了十八路英豪讨伐董卓，虽然在虎牢关前被吕布给灭了，但在江湖上，也已算有一号了。

于是郑林藻得出结论，曹操是靠讨伐董卓，也就是说是靠跟他的老上司马逼脱颖而出的。"可我能这么干吗？我要是敢跟我们老总叫板，我都不用走出这人事部的门儿，就能把自个儿的开除手续给办了。"于是，他转而研究曹操的性格，因为他认为人的性格最能决定他一生的归宿。

这样一剖析曹操，他被吓坏了，因为他发现这位伟人实际是个凶残、狡诈、自私的阴谋家。他因把一个要杀驴的老头儿误会成要拿自己开杀戒，不顾老头儿刚救了自己，就宰了人全家。为了让皇上听话，他可以杀了皇妃；宛城战张秀时，因督粮官听从了他的旨意而造成了军心涣散，他却嫁祸于人，把人脑袋"借"了下来。

他恐惧地想着，也就是说，为达目的就得不择手段。这意味着他将要放弃一些做人的原则。他必须学会能心安理得地做出一些令别人噤若寒蝉，或者即使想做也无法超越胆怯的事情来。

他痛苦了很长时间,这些要向上爬就必须遵循的不二法门像紧箍咒一样勒得他头脑发晕。但随着光阴流逝,他仍然坐在那平凡的办公桌后办一些琐事,听凭着领导对他任意摆布的时候,他内心的权利欲又勃勃地膨胀了起来。奇怪的是,那些黑色的条律也不像从前那样令他恐惧了。他终于完成了一次心理超越!

很快他就悟到了一条得到快速晋升的捷径,那就是他必须同公司的上层人物建立特殊而又密切的关系。他又一次苦苦地寻觅着机会。终于,那机会来了。一次偶然,他得知公司一把手林总有个患精神分裂症的儿子,已届而立之年,却仍是孑然一身。独子的不幸令林总颇为伤心。而郑林藻却从这不幸中看到了自己的希望。他马上想到了自己的女儿郑媛。此时的郑媛已是个 24 岁的出落得非常漂亮的大姑娘了。大学毕业后正在读研究生。身边追求者自然如云。

郑林藻把自己的想法告诉了妻子、女儿。他遭到了"江姐"似的回击。母女俩向"蒲志高"表达了自有这个家庭以来最史无前例的伤心。而此时的郑林藻,多年来淤积他心底的愁苦与衷肠终于化成了一种强大的精神能量狂泻了出来。

可怜的女儿惊恐地看到了一张在她记忆中永远也搜寻不出来的属于父亲的悲戚的脸。郑林藻跪在女儿面前哀求她为自己父亲的余生幸福点一下头。24 岁的姑娘毕竟没有经历过像她父亲那样的心理超越的过程。她在母亲绝望的眼光中点了头。随后,父亲的脸泡在了泪光中,模糊了……

于是,在一个和煦的假日里,林家接待了父女俩一次看似平常的拜访。两个年轻人奇迹般地一见钟情。真是天上掉下来个林妹妹。林总有了一个漂亮的儿媳,和一个为此付出了非凡代价的亲家公。

郑林藻成功地坐在了审计室主任的位子上,他的人生终于翻开了新的篇章。到底是风光在险峰,郑林藻立马感到他的视野开阔了。他开始接触到他以前不可能接触的人,开始为以前不敢想的事拍板,开始感受以前曾令他嫉妒的尊敬……开始面对他的第二次心理超越。

郑林藻领导下的审计室是全公司中一个重要的计划性职能部门,负责审核国内外大量的轻工业品进行进出口贸易的可行性，为公司的最终拍板起到参谋策划的作用。从某种意义上讲，它掌管着产品能否进出口的生杀大权。也就是说，对于国内产品生产厂家来讲，它既可以让你的产品进入国际市场换取外汇，也可以把你扼杀在国内市场的摇篮里。决定产品出口的一个重要因素，就是出口配额。就像你有粮票买到的是平价粮，否则就只能去买议价的一样。对于国外产品亦然。配额的分配当然是很有限的，否则构成中国财政收入的一个重要来源——海关税就不存在了。

作为这一部门的灵魂人物，郑林藻从未像现在这样感到他有这么多的亲人和朋友。这与他在人事部时所感到的冷清相比，简直不可同日而语。他深深理解了那句老话的意蕴："穷在闹市无人问，富在深山有远亲"。是的，他只要批出去一个配额，就意味着几十万甚至几百万的利润进入了厂家的腰包。他的批示就是钱！来向他要配额的人太多了，他们中间出现了竞争。

竞争的原则，郑林藻在第一次心理超越时便悟透了。现在令他为难的是，他是否具有对恶果的承受能力，因为有人想让他犯罪。配额意味着利润，商人的本性就是唯利是图，为了得到它，有人开始向郑林藻行贿。他当然明白法律的服务对象是什么样的人。一旦失手，他就跟崔健找到共鸣了。但完成这次心理超越，他并没有用太长时间。

首先，完成第一次心理超越时所培植的心理韧度在这一次过程中起到了作用。再则权利权利，他现在只初步获得了权，"利"字还未能兑现在他生活中。他还需要再加一把劲。还有一点也是最重要的，他发现在这些热情的朋友中，有些背景复杂的人士，他们所拥有的能量能够使灾难的触角还未碰及他时，便已成强弩之末了。他小心翼翼地证实了这一点。同时他欣喜地意识到，同他们建立友谊，他可以得到双重的收获。他终于段位升级成功！

日新月异的家庭终于使他的妻子找到了葬送女儿幸福的心理平衡。而郑林藻也没有忘记向为他的仕途甘做垫脚石的可爱女儿做一次赎过。在一次于法国大使馆中进行的饶有兴致的谈判后，一种小型漂亮的法国炊具出现在了中国市场上。不久，巴黎大学艺术系，接到了一位拥有全年奖学金的美丽东方女孩儿的报到，她的名字叫郑媛。

中国开放政策的不断放宽，使外资纷纷大量涌入。合资企业雨后春笋般出现在中国经济舞台上，根据新政策的精神，大批合资企业拥有了独立的进出口权。郑林藻发现他的许多企业界朋友都纷纷找到了洋伙伴，而忘记了他这位曾经相濡以沫的老朋友。

他发现他的收入在减少，不，不是工资，不知从何时起，他已不把工资叫作收入了。他不能容忍这种事实。他对于金钱的嗜好，已经像吸毒成瘾一样了。正在这时，苏联解体了。没过多久，分裂的各加盟共和国草草地聚到了一起，给他们的新联盟起了个叫"独联体"的名字后，便匆匆地跑到世界各地去找他们的贸易伙伴去了。中国成了他们最好的伙伴。

看着公司里的东欧部火煽火煽的样子。郑林藻坐不住了。与此同时，中央关于转换政府职能的文件精神传达了下来。郑林藻找他的亲家进行了一次促膝长谈。而后，郑林藻转到了总公司下属的北京分公司的开发部，两个亲家离得远一点，可避免不必要的闲话。但后来，郑林藻又觉着分公司这个池子太小了，他折腾不开。报总公司批准后，以分公司作为注册资产，郑林藻在北京饭店里，成立了这个"对独联体国家贸易战略研究会远东经济贸易实业发展有限公司"。人虽独立了，但业务上还得依靠上边。这单 500 吨钢材的易货贸易，就是亲家馈赠给他的礼物。

还有一个沉浸在喜悦中的人物，那就是要煽。要煽庆幸自己今年交了好运。他认为，与郑林藻的相识是他人生道路上的一个里程碑，一个分水岭。"500吨钢材，100 多个（万元），跟俄国人做！弗拉基米尔·伊里奇同志的同胞们，简直煽坏了！"这意味着他已经以一个民族商人的身份跨入了国际经济大循环！

在这生意里，由于他的介入，将使那些牛逼得只有美国人才敢与之叫板的俄国粉脸们的生活发生某些微妙的变化。这仅仅是个开始，他不会总把宝贵的精力和智慧浪费在这些经济落后的发展中国家的。

他的理想是飞过浩瀚的太平洋、大西洋，到美国去，到西欧去，最好来一次环球商业旅行。雇俩马仔帮他背着装满各国护照的行李。一边欣赏着旖旎的世界风光，一边挣着美元、法郎、里拉什么的。不，他不会看到这些钱的，也没必要，国际清算银行会帮他把这些事办妥的。他们会为他在伯尔尼的银行里立一个户头。他们还会告诉他，最近美元疲软，应当多换点坚挺的马克、日元窖儿着，等美国经济复苏的时候，再把它换回来。然后他会像他崇拜的那些华尔街大亨那样，嘴里叼着10美元一支的哈瓦那雪茄，眼皮都不抬地张张嘴说一声"Yes"或者"No"。

提到华尔街大亨，要煽就会眼睛放光，脑子里就会出现一串儿名字：杜邦、贾尼尼、摩根……他对他们很崇拜，以至于能把他们的经历倒背如流。甚至他们中的某个人在上个世纪的某一天向谁借过10美元的细节，他也能说得出来。当然了，那是在他们发迹前，也就是要煽最能找到共鸣的现在。

华尔街，一个令他多么神往的地方，他曾发誓，总有一天，他会在那条街上遛达的。不，他要在那儿开一门脸儿，跟他的美国同仁们探讨一下使人民币在美国流通的可行性。

他努力使自己先从形象上向那个境界靠拢。在看过迈克尔·道格拉斯主演的《华尔街》后，他的发型就变成现在这个样子了。以至于他频繁出入化妆品商店的姿态，使售货小姐误以为他是个摩丝批发商。

站稳美国以后，他要把商业触角伸到世界各地。他对阿拉伯世界也非常感兴趣。他要同欧佩克（世界石油输出国组织）的那帮头脑们谈谈，劝他们交出对世界石油价格的控制权。如果他们敢用阿拉伯语说"不"的话，他就会斥巨资开发一种新能源来取代石油。然后这帮家伙和他们的国家就会泡在石油里，从而使人们怀疑又发现了一块新的非洲大陆。

总之，他的计划太庞大、太繁杂了，穷其一生拼命工作也无法全部完成。不，他不能累坏了，他还要充分地享受人生。他同样有着一个色彩缤纷的计划。

他要到阿尔卑斯山去滑雪，到阿拉斯加去坐狗爬犁，到夏威夷去冲浪，坐着私人直升机去和自由女神接个吻。然后跑到纽约的中国城，尝尝用美国面粉包的三鲜馅饺子……

不要吃太多了，留着肚子到巴黎去吃烤龙虾。然后在塞纳河畔傍一法国大蜜，一起漫步香榭丽舍大道。那时他已奇迹般地会说法语了，否则在这么一个富有情调的气氛里，会多么煞风景。随后，她会随他乘着他刚买的一辆皇家版劳斯莱斯（因为他才把一辆新型法拉利赛车送给他的一位"贫穷的"法国财政部的朋友），来到巴黎郊外。这里有一座他花了 1000 万法郎买下的带几十公顷草坪的花园别墅。在温暖的壁炉旁，躺在纯正的波斯纯毛地毯上，那法国蜜会为他唱抒情的法国民歌。在浓浓的暖意中，两人的情感在不断地升华，中西合璧的激情与壁炉中的火焰谱成了和谐。也许那法国蜜会傻乎乎地问他是否爱她并且娶她。他会直率地说"不"，因为他不想他的儿子将来与人打架时被人称为"杂种"。

离开法国时，他会去拜会密特朗总统，询问他的癌症是否得到了有效治疗。"空军一号"（美国总统专用座机）会载着他直飞华盛顿。在国会山，他将列席参众两院的一个听证会。因为他们将就他提出的"使人民币进入美国流通"的议案进行表决。

多么壮阔的生活图景啊！要煽在失意的时候想它，挫折的时候想它，获得一点小小成功的时候更想它，每当想起这些，他就会激动得热泪盈眶，像身临其境一样。这些幻想是使他每天快乐地活下去的源泉！感谢上帝，是他让郑林藻把手伸给了他，而促成了那次伟大的握手的，是一种提起来都叫人难过的叫作"马桶垫纸"的东西。

要煽的上一桩生意是为一家街道小厂推销一种卫生用品。这玩意儿是一张依照卫生间中的马桶盖的形状中间挖去一个洞的坐垫用纸。这桩生意是要煽偶然碰上的。一次他从三里屯经过，发现几名工人正在往一个库房里搬一种包装漂亮的纸袋，好奇心令他找到了厂长。厂长正在为找不着销路而发愁。他找出一大堆海外华文报刊剪报的复印件给要煽看,证实这种东西在海外已广为普及,它是艾滋病时代的产物,而在国内却无人问津。

由那漂亮的包装,要煽联想到,这玩意儿要想在北京找市场,只能跑豪华饭店,一是那地方有钱,二是那儿外国人多,他们不是都恐惧艾滋病吗?要煽向厂长要了底价后算了一笔账,底价 6 分钱一张,他每张加 5 分钱到 0.11 元,留 1 分钱做优惠的富余,则每张利润为 4 分钱,一袋里有 10 张就是 0.40 元。这一袋里装 10 张可学问大了,按豪华饭店的标准,卫生用品必须经常换,10 张很快用完,为饭店考虑一下 2 天换一袋,那就是每间客房每月消耗掉 15 袋,也就是 6 元;一家饭店总得有 400 套~500 套客房,刨去住宿不满的客房按 300 套算,总数则为 1800 元。一家饭店的月利润是这个数,全北京几百家饭店呢。要煽看了一眼厂长,觉得他愁得都没道理。他一口气向厂长要了 50 袋样品。

进饭店推销东西是最令要煽感到愉快的了。这里环境优雅,场面华丽,工作人员彬彬有礼。尤其是对工作人员那亲切的笑脸,要煽感到格外舒服。即便你来推销狗屎,他们也会耐心地听你把理由说完,然后温文尔雅地对你说一句"No"。只有在这儿,要煽认为才真正感受到中国作为具有五千年文明史的礼仪之邦的风范。在这种氛围的感染下,他总是努力使自己的措辞听上去和那些住总统套间的家伙们没什么两样。

望着巍峨耸立的辉煌大厦,要煽微微一笑,小声嘀咕了一句:"朋友们,我给你们送礼物来了。"在总服务台,他打听到了客房部的位置。他之所以没有先去采购部,是因为他认为反正采购部最终也得来征求客房部的意见,不如他腿儿勤点儿,还能及早得到答复。

在电梯间,他注视着一个显示正在迅速下降的电梯,想象着将有一天,他从这里走出来的时候,已得到了一张签着英文名字的支票。在电梯里,他看到了一个客房服务员左手提着一个暖壶,像是正要为某个房间送水。要煽有些遗憾地想着,要是他能早来几天,此时这个小伙子的右手也许就不会闲着了。他真想把腋下公文包里的那袋样品拿出来给那小伙子看看,然后问他:"朋友,这样的纸袋你一次能抱多少？"

在客房部里，一位主管模样的小姐接待了要煽。他挺了挺腰板儿，调整了一下音区，然后说道：

"你好，小姐，我是来推销一种正在风靡文明世界的卫生用品——恭桶垫纸。"

"什么？"显然小姐对这种东西很陌生。

"呃，也就是马桶垫纸。"要煽说着，已从公文包里取出了样品袋，很优雅地抽出了一张，旋即展开。

小姐绷不住乐了。显然她认为眼前这位衣冠楚楚的绅士与这很有些低级趣味的卫生用品之间有着某种喜剧因素。她示意要煽稍候，随后去请示一位正在屋角的办公桌旁审核一份文件的女士。要煽注意到，那位戴着眼镜看上去像是东方人的女士同这位小姐是用英语交谈的。要煽意识到那一定是个经理级的身份。紧接着，他从那女经理的答复中至少听到了 3 个"No"，他的心一凉。

果然，很快那位小姐便走了回来，向他解释说，在这里，这种产品是不会受欢迎的，因为它会让客人认为饭店对自己的卫生标准缺乏自信才向客人提供这种拙劣的卫生保险措施的。还会让客人误认为饭店的服务很懒惰，这对于一个五星级饭店来说，简直是灾难性的理解。理由充分，无懈可击。要煽黯然退出。但在出门前，他没忘了说一声"See you later"（再见）。

建国饭店、长富宫中心、国贸中心，一下午的时间里，这些饭店的主管经理们都相继接待了这位执着的推销员。答复竟然惊人地相同。要煽坐在长富宫门前围着草地的低栏上，开始深深地同情起那位厂长来。他自己无所谓，无非是浪费了一天的时间，而那可怜的厂长，竟然让那错误在机器上滚动了那么长时间，以至于要动用一个库房将这些错误存放好，然后天天看着它伤心。

忽然，要煽自己也伤心起来，他想象着如果他是那厂长的话，难道就眼睁睁地看着那么多钱烂在库里吗？一种扶危济困的责任心使他那智慧的头脑又开始运转起来，是不是还有什么机会的死角没有扫到？他猛然想起一个导游朋友曾对他讲过，他带过一个外国人的团去长城，结果这帮大粉脸们因恐惧那儿的卫生间条件恶劣而拒绝使用它们。

要煽灵犀顿通，如果让饭店把这种马桶垫纸作为礼物馈赠给客人们，使他们在离店外出时，用它来处理一些尴尬的处境，客人就会认为店方已把热情的服务外延到了饭店以外的领域。如此无微不至的关心，岂能不让大粉脸们动容！况且这东西在每间客房的月投入，在客房成本中微不足道，甚至还不够一个客人每天付给服务生的小费，而要煽的利润将从无数个这种无形的小费中诞生。问题的性质一下改变了，这东西已不仅仅是一种卫生用品，它已成了饭店服务中一个伟大的公关使者。

还有一个细节必须注意，就是在他推销过程中，发现能决定把这小东西留下的，全是些不懂中国话的外籍经理。而他的英语，中国人不懂，外国人不会，交流是个问题；而那些替他转述推销意图的中方人员，怎么可能像他这样饱含深情地寻找最佳英语词汇进行表达呢。他必须寻找一种能够直接与外方经理交流的途径。有了，可以写一封推销信，直接面呈。当然要用英文。在他的朋友中，懂英文的有的是，翻译不成问题。那还差什么呢？只有等着拿支票了。要煽一个激动的表达，把身边一个正扫大街的清洁工吓了一跳，以为他要把一堆儿刚撮好的马粪踢飞。要煽兴奋地在他那可怜的英语记忆中寻找着"伟大"这个词的发音……可他最后说的还是汉语。

一封情真意切的推销信很快在英文打字机上诞生了。望着那完美的外事行文，要煽得意地想起了美国旅店大王希尔顿。他想象当希尔顿买下纽约著名的华尔道夫大饭店的时候，大概也就是他此时的心情吧。他还将那信复印了十几份，分别装在一个个精制的信封里，他还特意跑到礼品商店，买了彩纸、彩带包扎好。他甚至还买了不少印有"福""禄""寿"三星的卡片，同样用英文在上面祝福那些外国佬们得到中国神仙的庇护。他将这些卡片同信一起包好，像递交国书一样，神圣地把它放到了一个个大身份的办公桌上。

除了以前跑过的几家饭店外，他还发展了皇庭酒店、北京饭店、台湾饭店、燕山大酒店、友谊宾馆等。甚至在他最有好感的皇庭酒店，采购部、客房部、公关部、总经理办公室都同时得到了他的一份美好的情意。

在皇庭酒店的采购部里，他向一个香港经理热情地介绍这伟大玩意儿的功用。他甚至天真地告诉那个香港人，在寒冷的冬季里，当人的肌肤与冰冷的坐垫发生接触的时候，就会产生一种视如厕为畏途的感受，而加上这种垫纸，就会使人从大腿根部产生一种按摩般的暖意，然后传遍全身。

那香港人听后，猥琐地冲他笑了一下，然后告诉他，皇庭酒店提供的供暖效果可以使客人们忘掉季节。他继而向香港人讲述他为饭店策划的公关战略。为了说明这种微小服务的重要性，他甚至引经据典，把三国时刘备说过的一句话搬了出来，"勿以善小而不为"。最后，他令香港人感受到了他的激情："想想看，如此微小的感情投资，却能产生如前所述的那种具有史诗般意义的影响，欲达此境界，只需您对我说一声'好吧朋友，咱们成交了'。"

香港人用平静向他传达了商人所应有的理智，随后告诉要煽，他需要考虑一下，再作答复。在大厅二楼的公关部，要煽才真正受到了感动。一个中方小姐告诉他，他们的英籍女经理，对他的极具职业素质的推销，以及那富于东方情调的公关手法非常欣赏，她将提请店方认真考虑此事。走出皇庭酒店，要煽激动得像是看到了伦敦塔和泰晤士河！新年就快到了，要煽多么盼望能得到上帝的一份珍贵的厚礼呀！

在所有饭店的实际反应中，建国饭店应当是令要煽永远缅怀的。他的推销礼函同样感动了这家饭店客房部的中方经理及菲律宾籍外方经理。他们挑了一个楼层的客房，尝试性地为他做这种公关试验。一个星期后，他们把一个附有中外方经理名片的新年贺卡连同失望一并寄给了要煽。与此同时，其他饭店也做出了同样反应。在一个瑟瑟寒风吹拂的下午，要煽给皇庭酒店采购部打了电话。听筒里传来那香港经理带着鸟语味的普通话："你怎么可以这样搞，弄得客房部经理来找我，公关部经理来找我，总经理办公室的中方总经理也来找我。你要推销这种东西，直接跟我谈就可以了嘛，怎么搞得这么乱，你这么做很不正常嘛。喏，我现在告诉你，这个东西我们现在不需要，什么时候需要，我再给你打电话。"放下电话，要煽的第一个反应不是失望，而是笑弯了腰。他对皇庭酒店进行的地毯式轰炸般的推销居然产生了这样的效果，回想着那香港人气愤的语调，要煽产生了一种由衷的自豪，虽败犹荣！

望着堆在床上的50袋样品，要煽再一次感到了伤心，因为他家的厕所是蹲坑儿。

圣诞节这天，要煽的50位家里卫生间带坐桶的亲友们分别得到了一份别致的未署名的圣诞礼物。

要煽终于没能见到支票，但他见到了郑林藻。

一次要煽带着他的宝贝玩意儿来到北京饭店时已近中午。为了不使对这卫生用品功用的陈述产生的联想败坏了经理们午餐的食欲，他决定先去5层的一家公司拜会一位朋友，错过午休时间。在5层的走廊里，他看到了郑林藻的公司招牌。这使要煽突发奇想，早听说中国对独联体贸易火得不成，他的一些哥们儿通过跑黑河边贸，甚至亲自钻到人家境内去做生意，从而使他们一个个一夜暴富，成了款爷。张口儿闭口儿就是什么在基辅用一瓶二锅头换了三瓶伏特加，列宁格勒的俄国蜜喜欢中国的花露水，乌克兰大妈用狐狸围脖儿换他们的退休母亲都懒得用的灯塔牌肥皂。羡慕得要煽只想把自己变成一件儿行李请他们下回再去的时候把他捎上。眼跟前儿这公司就是跟那边儿做买卖的，这要跟他们傍上了，比那帮散兵游勇的瓷器们强多了。那要一发货，怎么着也得是一专列，就算走水路，也得是一载驳货轮。这手底下的马桶垫纸不就是一个最好的买卖吗，独联体那地方地靠北极，气候寒冷，要是按他那坐桶垫纸具有保暖效果的逻辑推论，应该在那块儿有着广阔的市场前景！他立马觉着再去找那朋友简直是浪费时间，他毫不犹豫地敲开了郑林藻的门。

郑林藻以极大的耐心听完了要煽那两分钟前才诞生的疯狂想法。老实讲，他实在不能对那玩意儿产生兴趣，他甚至有些愤愤然。对于一个做了十几年体面生意的国家级商业干部来说，怎么能堕落到做这种腌臜生意的地步上来呢。

况且，现在在他的案头上，就放着一宗 500 吨钢材的易货贸易，如果在他与他的俄国伙伴们谈就了这单体面的生意之后，再饶有兴致地问上一句："同志，想不想给你们的卫生间来一次革命？"他会让翻译感到难堪的。但是，他却被眼前这个真诚的年轻演讲者的激情深深感染了。他在他身上找到了共鸣，他认为在他们之间有着一种共性的东西，那就是为了实现一个疯狂的念头而不惜赴汤蹈火的勇气和执着，这显然在他刚刚建立的事业中，是一种不可或缺的财富。他向要煽传达了他的好感，同时明确地告诉他，他对他手里那玩意儿的兴趣远不如对他本人那么浓。要煽在失望之余，多少有些欣喜。他们转而开始谈一些更为广泛的话题，他们谈得是那么投机，以至于那天中午，要煽在北京饭店里得到了一份美好的午餐，而原本他是打算在附近胡同儿里的一家小饭馆里吃顿饺子的。新年过后，要煽有了一张新的名片。同时，他每天也有了很多机会在北京饭店的电梯号码盘上按上"5"这个数字。在郑林藻的 500 吨易货贸易的生意中，他很快进入了角色。

在北京西郊的白石桥路，离奥林匹克饭店不远有一幢白色的建筑，半封闭式的钢架灌注结构，现代化的喷涂装饰外表，使其显得非常豪华气派，这里就是开业不久便名闻遐迩的中国首家大规模综合型的"华夏商品交易市场"。因其不加掩饰的贵族气以及它在中国经济领域的特殊地位，北京商界都尊称它为"白宫"。它是中国经济迅猛发展的一个必然产物，它的出现，标志着中国经济的结构、运转机制无论从跨领域间协调生产经营的变革方面，还是从由生产加工型向商业贸易型过渡方面，都已达到了国际化水准。在其经营形式上分为远期期货交易、近期期货交易，以及现货交易三种。交易内容包括农作物、副食产品、水产、冶金矿产、钢材、建材、化工产品、纺织品、医药、电脑、房地产，甚至文化产品等几百项内容。鉴于中国目前的经济态势，为了使民族经济尽快适应世界市场经济的特点，提高竞争能力，白宫对于国外产品的内容、数量做了很大程度的限制。

要煽刚一踏进白宫的大门，就碰上了一个以前曾一起做过一次棉纱生意的朋友简小亮。那次他们成功地把 50 吨棉纱卖给了广东省纺织工业总公司。在要煽的策划下，简小亮的舅舅，一家棉纺厂的厂长愉快地在供货合同上签了字。他们受到了广东朋友的热情邀请，那是要煽第一次坐飞机。当波音 737 在首都机场跑道的尽头昂然扎向天际的一刹那，要煽看到了一个旋转的大地。在一万米的高空中，望着那连绵的云朵，要煽想象着在那下面可能出现的一个个国际航空港，纽约、伦敦、巴黎、波恩、罗马、东京、悉尼，甚至耶路撒冷。直到泡到白云宾馆的浴缸里，他才开始考虑一些诸如如何在人民南路旁边的一个胡同里找到著名的"蛇王满"，以及从广州到深圳是否和从北京到天津所用的时间差不多这样的小问题。那真是一次难忘的南巡。尤其是在深圳，更令他们快活不已。躺在舒适的空调房里，同香港人同时欣赏到翡翠无线明珠台一天 24 小时不间断的视觉轰炸，尽管他不知道他们在说什么。他们还到了锦绣中华，在那儿他们看到了没挂毛主席像的天安门，站在"天涯海角"上望长城。蛇口海上世界也留下了他们愉快的身影，隔着深圳湾，他们很随便地就看到了香港。唯一美中不足的就是，那里的亚热带气候像蒸桑拿一样折磨着要煽，以至于他热得直发愁，要知道，加利福尼亚可就是常年都这气候啊，连广东都受不了，将来怎么去洛杉矶混呀。

小亮愉快地同要煽打着招呼："哟，要煽，怎么老没露面了，你丫是不发了，又跑哪儿灶去了吧？"

要煽一脸诚恳："没错，我都灶了 100 袋方便面，30 袋涪陵榨菜了。"

"别逗了，谁信呀，有穿着卡丹西子吃方便面的吗？"

"真不冤你瓷器，最近老没效益，真快瓢了。这不我都开始坐大公共了吗。嘿，你还别说，这老不坐大公共偶然这么坐一回，还真有乐儿瞧。"

小亮逗着："是不是你拿信用卡给人售票员当月票看，让人骂你装孙子来着吧？"

要煽挺无奈地一笑："你丫别逗了，我那卡上早没钱了。听我跟你说，今儿在车上，一姐们儿可让我开了眼了。当时车上挺挤的，也不知哪位大爷在丫小腰眼上，是拧是捅咱也没问，也没法问，反正是给了一小下儿，估计也挺温柔的。哎哟！这姐们儿可翻了，冲旁边儿一哥们儿这通骂哟。那哥们儿一脸无辜的样子，勉强回了几句，嘴皮子就掖了。那小姐们儿真行，三言两语，一活脱脱的色狼形象就浮现在大家伙儿的脑海里了，丫还不依不饶，冲着那哥们儿倒着家谱儿地骂，光那哥们儿他们家宋朝的祖先就骂了 8 分钟。"

"后来呢？"小亮的腰已弯了下去。

"后来那姐们儿下车了。把我给遗憾的哟，估计丫要不走，该倒到唐朝了。"

两人一边说笑着一边走进了二楼的交易大厅。这是一间两千平方米的大厅，环厅一周全部是用巨型电脑显示屏围成，屏上显示的是各种交易内容及三种交易价格，不断地变换着显示内容。在大厅中央，是一个个格子式的办公间，办理各种买卖意向及交割程序。

"哎小亮，你现在忙什么呢？还在你舅舅那儿吗？怎么想起跑这儿来了？"要煽这才想起光回答问题了。

"啊，还在我舅那儿呢，这不我舅让我来白宫看看 6 月份棉花什么价儿，下半年要完成一美国单子，32 支出口一级棉纱。"

"你倒吃上纺织口儿了哈？也不错，一招儿鲜，吃遍天，不像我，狗舔八泡屎，泡泡舔不净。"

"别闹事了，咱能耐没您大呀，只能一棵树上吊死。哎这回你又倒腾什么呢？别不是把科威特的油库给搬来了吧？海湾战争一完，他们那儿的油流得满世界都是，把波斯湾都给弄脏了。"

"那块堆儿的事，我已经交给绿色和平组织了，这回是从俄罗斯进了 500 吨飞毛腿导弹。"

"您别吓着我。"小亮做了一个夸张的瘫倒动作，继而扶着要煽的双臂，压低声音神秘地问道："这事国防部知道吗？"

"这点小事用不着惊动那些大身份，过两天跟这儿就成交，你看那儿。"要煽说着用手一指一块大屏幕。

　　小亮顺着方向一看，原来是一块钢材市场价格显示屏。此时屏上正巧显示出"远东经济贸易开发实业有限公司"的供货行情。供货期限被排在近期期货交易这一档里，价格为每吨3800元，随后是一串型号材质表。

　　"这就是我的货。"要煽介绍着。

　　"成啊要煽，又傍上大款了。"小亮挺羡慕。

　　"起先是我傍他，现在倒有点像他傍……"要煽的话突然噎住了。此时屏幕上新显示出的内容把他惊呆了。

　　原来，在现货交易这一档里一下子出现了首钢、包钢等几家大型企业以及南韩三星集团供货的1800吨钢材总量的行情表，最高价3600元，最低价3500元。在屏幕下端的成交状况一览表中，几处红色的数字快速闪动着，要煽清楚地看到，截止到目前，已有三家企业达成了800吨的交易量。噩梦继续出现，在远期期货这一档里，他看到了足有2000吨的供货量，而价格是3300元。很快，这些内容都出现在了另一块固定显示内容屏幕上。自上而下，一览无余。要煽看到他们公司的那可怜的500吨钢材被傻乎乎地标着3800元在那儿戳着。

　　"要煽，你们这价够高的，真想按核武器那价儿卖呀。"小亮显然也看出了问题。

　　"×，肯定出事了。小亮咱有工夫再侃吧，回见。"说完，要煽风风火火地向钢材交易部冲去。

　　郑林藻此时就像诺曼底登陆前的盟军司令艾森豪威尔将军似的，紧张的心情中透出一种兴奋。500吨钢材的适时到位，似乎已让他看到了成捆的钞票进了他身后的保险箱。只等要煽今儿到白宫把那批货纳入现货交易。嘿，那批要货的准能把这小子给撕巴了。这小可怜儿，到哪儿都还穿着那身行头。挺会给自己壮面儿的。小子，好好干，你郑伯伯不会亏待你的。郑林藻越想越得意。

　　"铃，铃……"一阵急促的电话铃响了起来。郑林藻慢悠悠地捡起了听筒。

　　"喂，郑总吗？"听筒里传来要煽气急败坏的声音。

　　"要煽哪，怎么了这是，是不是他们想把你也饶到那500吨里给买了呀？"

"嘿哟,郑总,别打哈哈了,我哭的心都有了。熊市,暴跌啦,我×的嘞!"

"你说什么?怎么会跌了,啊?!"郑林藻一下意识到了严重性。

"今儿早上这一开盘,就呼啦一下涌进了一大批货源,国内外哪儿都有,现货这块儿主要是国内的,什么首钢、宝钢、包钢,全都赶今儿来凑热闹了。我刚到这儿时,开盘价还在 3500 元,现在都跌到 3200 元了。而且现在还在跌呢。"要煽的语速快得像 CNN 的播音员。

郑林藻的声音充满了颓废:"这他妈的白宫,刚开业就砸了我的买卖,不是一直有行无市吗,怎么突然一下子成了大跃进时代了?"

"这回算让您说着了,刚才钢材部的刘主任告诉我来着。国家弄这么一个白宫,就是因为以前经济秩序太混乱,空手套白狼的忒多,甭说钢材前阵子有行无市,其他什么建材、棉花,连化肥都一样,给中央挤对急了,索性弄这么一白宫,让你们丫彻底市场经济。红头文件一下,呼啦一下子,是买卖都跑这儿来了,那还不互相戗。咱这买卖赶得太不是时候了,成了计划经济的残渣余孽了。"

"可咱刚办近期期货那天儿,离现在一个月都不到,怎么这么短时间就冒出这么一大堆来呀?"

"这里据说有一内幕消息,中国最近参加了一个裁军协议,那当兵的少了,要那么多家伙干吗呀?好些军工企业就转产了。你看那昌河面包,原来那厂子就是造五四手枪的。那民品的消费数量及市场怎么着也不如军火呀。中国那军火还往伊朗出口呢,两伊战争那天儿,伊朗还用中国的'蚕式'导弹击沉过美国的护卫舰呢。您说那昌河面包往哪儿出口呀?还有一内参,说是海湾战争以后,'爱国者'大战'飞毛腿',这一现实,使中国军方深刻地意识到,现代化战争已经进入到了像什么激光制导、声波摇控、生物化学武器乃至核武器这些个高技术领域的战争角逐上来了。你再跟人家玩儿常规武器,人坐在办公室里喝着可乐,按一下按钮,一颗洲际导弹飞出去,就能灭你一个重炮兵团,他就帮你裁军了。所以呱唧一下,又砍了一大批常规兵工企业,那么多原本造飞机大炮的钢材奔哪儿去呀？就来戗咱这小买卖来了。"

"这海湾战争才完了 2 个月，就这么快立竿见影了？"

"嘿，郑总，您不想想这是什么时代呀？布什总统脸上长块儿癣，华尔街那股市能暴跌 100 多个点，瞬息万变呀。"

"那你看近期有没有希望回弹呀？"

"没戏，我这儿就看着电脑呢，又有 100 吨货源进来了。这是白宫开业后第一轮交易高潮，陆陆续续全国货源都得聚这儿来。哎哟！郑总，我要把现在交易价报给您，您准能把电话给摔了！"

"多少？！"郑林藻眼珠子都努圆了。

"3000！"

"快抛！"郑林藻满头大汗地瘫在了皮转椅里，只此一抛，他损失了 20 万！

孟飞的生意最近一直非常顺利，在去年一年里，盛世集团公司创利 6000 万元。新年伊始，他的一揽子商业战略计划也正在有条不紊地顺利实施着，并且他已开始跻身于证券金融业。在深圳、上海的股票证券市场，他已认购了 500 万元的法人股。在建筑房地产业上，他正实施着一个庞大的投资项目，即在北京几个繁华商业区各建造一座超豪华型集娱乐、餐饮、商业购物、公寓多位一体的综合性大厦。在这个计划中，他得到了"长江实业集团"与"和记黄埔"的李嘉诚、"新鸿基地产"等著名港台企业富贾的支持。另外，在京郊怀柔风景区雁栖湖，一座大型的自然风景区娱乐场的建造也得到了澳门赌王何鸿燊的积极参与。

此时，孟飞正思考着建材市场上的行情在新开业的白宫将呈现出一种什么样的态势。

在白宫里，孟飞与几位建材业的商友进行了一番工作性的磋商，达成了一些买卖意向。之后，他刚要离去，忽然想起潮龙的那笔钢材易货贸易。他估算了一下日期，基本已到成交的时候了，既然守着期货市场，何不看看钢材的市场行情。

潮龙同楼刚此时正在西单商场里视察着一批他们最近刚投产面市的春装销售情况。忽然，潮龙的 BP 机振动了起来，是孟飞。

"老孟，什么事？"

"潮龙，有一个消息可能对你不利。"

"怎么了？"

"我刚刚在白宫这儿看到了一笔 500 吨钢材的成交生意，买方是西南桥梁施工工程公司，而卖方正是同你做生意的远东公司，成交价是每吨 3000 块。"

潮龙脑子里飞快地计算了一下："我的天哪，这么低的价他们就卖了，他们疯了吗？这一下就亏了 20 万！"

"我看他们也没辙，白宫开业以后，钢材市场突然热销了起来，大量现货出现，价格一路下跌，如果他们不抛的话，可能赔得更惨。这对你是不是有影响？"

"难说，我是头一回接触这个公司。不过你放心，我会妥善解决好这单生意的。我马上找那个郑林藻联系，咱们回头见。"

郑林藻此时已收到了那笔每吨以 3000 元成交的 500 吨钢材的货款。当要煽把那张 150 万元的汇票放到他的办公桌上的时候，他甚至不敢用眼去看一下，好像那是一张破产证明。他吩咐要煽同出纳小沈到开户银行去办理解汇手续。随后颓然地开始盘算起善后工作。

在这批易货贸易中，他除了应支付潮龙的盛世公司剩余 64 万货款外，还应支付环亚总公司北京分公司 90 万货款。因为所易货物中的轻工产品部分，全部是北京分公司开发部帮他组织的。由于本是一家人，加之有林总这个亲家关系，所以开发部也没有事先要他的预付款。但现在他把生意玩砸了，而且一赔就是 20 万。虽然公司刚开业时，靠着他的一些老关系和渠道赚了十几万，但这一赔，他就是把屁股底下这皮转椅当马扎儿给卖了，也补不上这窟窿呀。他原本想这单生意做完以后，给自己置一辆奥迪的。许多同他一样驻扎在北京饭店里的公司头脑们都有这豪华玩意儿，听着那一声声嘭嘭的关车门的响动，他认为那简直是在向他叫板。还有那大哥大，连要煽都偶尔能借到一部当道具使。提起这，还有一件撮火事。有一次他跟要煽去见一要钢材的客户，由于要煽那一身华尔街风格的装扮，加之那临时借来的大哥大中非常适时地传来一些请示的铃声，以至于在谈话的前 20 分钟里，他只能成为一个忠实的听众，客户把他当成了一名老马仔！从而在会谈结束出来的时候，要煽的一些日后被采纳的好建议，在当时被粗暴地斥为"愚蠢的想法"。够了！他不愿再去回味那些令他受刺激的事，他不想成为一名准大款。他已经活了半个世纪了，他要成为一名货真价实的款爷。他要坐奥迪，他要雇一名专职马仔给他拿大哥大，以至于他两手揣在兜里就可以对着嘴边的话筒发号施令。他还要拥有一座属于自己的公司大厦，就像荣老板的国际大厦一样。这样他的公司招牌就会出现在金碧辉煌的公司大厦的门楣上，而不是这百年老店的过道里。要把这一切在他那有限的余生里变成现实，他就必须得有足够的钱。他要不顾一切地去搞到这些钱，不顾一切！而现在就有 150 万元的巨款进了他的账户。可要按照常规，他要把这 150 万元全部支付出去，还要倒贴 20 万元。不，这太残忍了！如果这样，他不仅失去了使公司生存下去的元气，他还会受到总公司里、分公司里那些早已对他嫉妒得咬牙切齿的家伙们的嘲笑，甚至落井下石！他的亲家林总也会因他的无能在公司里无颜自立。这真是太可怕了，简直像噩梦一样！他绝不能让自己陷到那悲惨的境界中去！而唯一的出路，就是要尽量在这失败的生意里创造最大的"利润"！这就意味着，将有人为此付出代价！！！

决心已下，郑林藻感到释怀了许多。他开始盘算如何应付两家债主。分公司这边的 90 万，他估算了一下，利润约有 30 万。他不能把钱都给他们，但也不能让他们感到吃亏，毕竟人家是掬着亲家的面子才给他搞这批货的，况且日后还要在业务上依赖他们。给他们 60 万，不亏本就得了，那个开发部的老王，要是感到不满意的话，他的银行存折上就会多出 10000 块钱来，然后他就会明白中国一句古老的成语"沉默是金"是一种多么美妙的境界。盛世公司这边，已支付了 16 万，还差 64 万。"看肖潮龙那小哥儿俩体体面面的，准他妈顶我款，玩儿服装的。早听说服装利大，百分之好几百的利，就要煸那身儿皮什么丹，两本子多，多宰呀，贵得都没道理。这俩小子不定在这 80 万里宰了我多少呢，得了哥儿俩，只当是给你郑伯伯扶一回贫吧，瞧机会给他们甩个十万二十万的打发掉完了。不过得多慎些日子，让那钱在银行里多生点利息。"

秘书小王隔着套间门，听到了一阵悠扬的口哨声……

潮龙跟楼刚终于意识到事情棘手了。当他们第一次向郑林藻提出付款要求时，郑林藻谎称对方所付支票款项还未到位；第二次他们被告知，那笔款项被挪用在一笔短期见效的生意中了，反正未到最后付款期限，再宽容些日子。待过了那期限后，他们发现郑林藻"病"了。奇怪的是，连秘书小王也不知是哪家医院有幸收治了这位老板。她只是被告知，继续为公司的繁荣而工作。在这期间，潮龙始终未向郑林藻透露自己已知道钢材赔本的惨状，因为他不想让郑林藻借题发挥，向他哭穷以博得他的同情，从而在原则上做出让步。但这回他真急了。

在一个同潮龙雅宝路的家同样破旧的平房里，他们把要煸堵在了家里。

潮龙怒视着要煸："要煸，这生意是你介绍的，现在这货款我就冲你要了。"

要煸一边收拾着刚吃完方便面的饭碗，一边委屈地诉说着："哎哟我的哥哥，我也没想到这钢材价儿会跌那么惨呀，老郑肯定是赔疯了，找地儿闭门思过去了。"

"他是赔是赚我管不着，买卖是你挑的，合同是我跟你签的，现在我找不着他，你替他还吧。"

"潮龙哎，我的个哥哥，60 多个呀，我哪儿偷去呀？"

"你丫不是挺款的吗？水深火热的俄罗斯还等着你去拯救呢！"

"别拿我开涮了，潮龙，我款个屁呀，我现在瓢得跟灯似的。我跟您说实话吧，我那大哥大是跟一哥们儿借的，我这身卡丹西子是我表弟的，这戒指是我姥姥的遗物。嘻，这么跟您说吧，这一身儿上下，除了裤衩儿，都是人家的。

我都半年没挣着钱了。我哪儿去过什么俄罗斯呀，就那克里姆林宫，仨月前我还以为是尼泊尔的一座庙呢。"要煸显然言辞恳切。

楼刚在一旁低头不语。潮龙环视了一下要煸的家：几件老式的家具，墙角是一张旧行军床，几近发黄的墙皮上一拉溜儿钉着的全是世界名牌汽车的装饰画，有卡迪拉克、劳斯莱斯、林肯等，还有两本挂历，全部是世界著名城市风光；在另一面墙上，赫然是一张世界地图，像军事地图似的，圈了很多圈儿，还有很多箭头。潮龙注意到，这些符号多分布于西欧与北美的版图上，在行军床上的枕头边整齐地码着一摞足有一尺高的书籍，最上边的一本是《娱乐大王——迪斯尼》。

潮龙此时将目光落在了要煸身上，见他正双手抱头，将肘置于膝上，痛苦地坐在床上，头发依然油光锃亮。

潮龙感到眼前这人是个与自己有着相同苦痛经历的奋斗者，自己未进"盛世"前，处境与他不是很相似吗。想到此，他感觉心中已无怒气，但一想到现实处境，又感到头疼不已，不觉喃喃说了一句："这事得有个结果呀。"

要煸突然站了起来，表情异常严肃："潮龙，你说得对，这事是我给你挑的，我得给你有个交代。咱哥儿俩头回共事，蒙你哥儿俩瞧得起我，为蒄那些货，都跑到长江边儿上去了。我要煸在生意圈儿里混这么多年，还没听谁说咱要煸这人不地道，给我三天时间，三天后我把支票拍你桌上；做不到，我就是天天到车站上扛大个儿去，也想法把钱给你还上！"

走出要煸家，潮龙与楼刚久久没有说话。最后，还是楼刚先感叹了一句："这哥们儿绝对不易呀，原来我看丫老人模狗样的，人前人后像那么回事似的，真以为丫挺款的呢。刚才一进他们家门，我一眼就看见门边簸箕里那一大堆包方便面的纸皮儿。哎，你说他怎么一人儿跟这儿过呀，他爸他妈呢？"

"听要煸说，他俩哥结婚没房，就都跟家解决了，没他地儿住，这他才出来租房子。他父母也就是平头老百姓，没什么本事，只能看着他们的小儿子跟外边受罪呗。要煸跟我说过，除了过年，他只有挣了钱才回家，他说他喜欢看他妈点钱的样子。"

"那他要断顿儿怎么办呀？"

潮龙看了楼刚一眼："那这问题你最好问我，你看我断过顿儿吗？"

三天后，要煽果然把一张支票放在了潮龙的办公桌上，但那上面却只有30万。

要煽的脸上失去了往日的神气。他以少有的严肃口气对潮龙和楼刚说道："二位，我对不起你们哥儿俩，我只能做到这份儿上了，我没想到这老丫的这么不地道！我跟丫家里磨了俩晚上，一开始我反复跟丫强调，这是我俩铁哥们儿，你要不给人家钱，等于把我给卖了。人冲着我这面子，跑那么老远，啊，安徽、江苏给您老先生把货找回来，您就忍心玩儿这不局气的？你们猜丫说什么，丫说你们在生意里黑他了，要给顶多给10万了不得了。把我气的，登时就跟丫马了，我说'姓郑的，今儿你要不答应给我们哥们儿钱，你干脆在你们家里把我宰了得了'，给他老伴儿吓得不善。那天儿都夜里过12点了，最后他就答应给这数儿了，死活再磕不出来了。我再逼他，他告诉我要跟我一块儿跳楼，他老伴儿跪在地上直求我，我也实在没辙了。我已经跟丫辞职了，在他们家我就把那盒名片扔给他了。我要煽凭这身本事儿和良心走哪儿都能挣到钱！"要煽说到这儿，眼圈都红了："这回我只能对不住二位了，但请记住我一句话，我欠了二位一人情，多咱哥儿俩说有用得着要煽的地方，×他妈我说个'不'字！二位，回见。"要煽转身就走。

"要煽，你等等。"潮龙叫住了要煽，随后拉开了抽屉，取出了1000块钱，走到了要煽跟前，拉开了要煽的西服，将那钱装了衬兜里，"要煽，这单生意我看得出你也尽了力了，赔这么惨我想你也没挣钱，这点钱，你拿着用，别老吃方便面了。"

要煽的泪夺眶而出："哥哥！你这不骂我吗？"

潮龙两眼一瞪："这钱你要不拿，我从此没你这朋友，我知道挨饿是什么滋味儿！"

要煽用双手狠狠地捏了一下潮龙的双臂，扭头冲了出去。

郑林藻终于"病"愈了。看着他那仍有些萎靡不振的样子，秘书小王先前曾有的怀疑顿然冰释。而郑林藻心里最明白，要煽的离去委实给他的精神一个不小的打击。他实在太喜欢这小子了。尤其是这回索款的举动，更让他看到了要煽身上一种闪光的东西——忠诚。他居然能为了那俩臭小子扔了自己的锦绣前程，在他的事业中多么需要这样的人啊！都是那俩臭小子毁了他们爷俩的友谊，哼，他们休想再从他这儿得到一分钱！

潮龙和楼刚很快便感受到了这个态度，为了索回最后的 34 万货款，他们再次来到了北京饭店。

"郑经理，现在合同期限已过，请你履行合同，支付我们的剩余货款。"潮龙口气郑重。

"要煽不是把钱给你们了吗？"

"那是 30 万，还差 34 万。"楼刚的口气中已带出了气愤。潮龙马上用目光示意楼刚冷静。

"哎呀，那笔生意现在还没收回钱来，这又让你们刚支走 30 万，我这都快让你们架空了，哪还有钱呀？"

"郑经理，我们有合同在先，合同条款中明文规定，钢材货款收回后，立即支付我方服装款。而你却未经我们同意，擅自将支付款挪作他用，本着初次合作，友谊为重，我们也未予计较，可你绝不能以此为借口，拖欠甚至拒付我方货款。这已是我们第四次登门索款了，我不希望再有下一次了，诚望郑经理体谅我们的苦衷。"

"苦衷？嘿，谁体谅我的苦衷啊？你们瞧我这摊子事，又得缴税，又得上交总公司任务款，这不，北京饭店的房租交纳通知单又递上来了。"

楼刚不耐烦地插话："老郑，你别打岔，你们经营范围里的事儿我们不掺和，你也用不着跟我们报流水账。"

"哎，我这是告诉你们我的难处啊，这么多坎儿都得用钱，我现在账上都没钱了啊！我这还正发愁哪儿去托替呢。"

潮龙冷冷地说："郑经理，我们刚才来之前特地到贵号的开户银行查询了一下，银行方面告诉我们你们账上现有 82 万资金，恐怕支付 34 万货款，不是什么困难的事情吧？"

郑林藻心里猛地一惊，他们是怎么知道我的银行账号及账户密码的？肯定是要煽那小子透露的，他妈的临走还踹我一脚。但他还是强装镇定："你们怎么知道的？谁允许你们这么干的？"

潮龙义正词严："在你的账户里有我们的钱，从某种意义上讲，我是你的债权人，我有权监视我的款项是否用于我认为必要的商务活动中！"

郑林藻顿时语塞，他尴尬地把头扭向一边。稍停，他又扭了回来："那钱也轮不到给你们呀，在你们之前，我还有好些客户的钱没给人家呢，那数比你们大多了。要结也得先给人家结呀，且轮不到你们呢。"

楼刚从旁没好气地说道："老郑，钢材玩儿赔了，也犯不着拿我们哥儿俩撒气呀，不会玩儿买卖今后学着点儿，用不用我教教你呀？"

郑林藻立马儿气得脸儿都紫了："你他妈放肆！你教我？老子玩买卖的时候，你小子黄牙嘴儿还没褪呢，我 × 的嘞，你们俩也别跟我这儿贫了，没钱结，就是没钱！"说完，他气呼呼地转起了身下的皮转椅。

楼刚一下火了，怒喝一声："你个老丫挺的！"随即冲上去抡圆了啪地就是一大耳切子，扇得郑林藻差点儿随着皮转椅转一 360°的圈儿。楼刚随即抄起桌上的一个烟缸就要奔郑林藻的脑袋上砸，潮龙迅速冲上来抱住了楼刚，随即喝道："楼刚！别干蠢事！"

郑林藻此时调整好了体态，高声喊道："你们想干吗？！还反了你们是怎么着！"随后冲着门外喊，"小王，赶紧给分局老屈打电话，就说有人威胁我生命安全！"

潮龙一边架着楼刚往门外走，一边指着郑林藻的鼻子喝道："姓郑的，等着接法院的传票吧！"

走出北京饭店的大门，潮龙埋怨着楼刚："哥们儿你太过分了，本来咱这钱就麻烦，你再这么一来，更瞎菜了。"

楼刚不服气地申辩："你瞧丫那×性，是讲理的人吗，要不要煽跟丫马呢。我觉着要煽就够好脾气的了，都跟丫掰了。跟这种人不需要理智，这就跟海湾战争似的，美国人左一个斡旋，右一个斡旋，全没戏！就得他妈的使B-52（美式重型战略轰炸机）炸丫的！"

潮龙沉默了，他无可否认楼刚的话是有道理的，但他仍然崇信，除了暴力，还应当有一种，也是唯一的解决办法，那就是诉诸法律！

在向法院咨询了起诉程序之后，他们回到办公室开始起草起诉书。

突然，几名刑警走了进来，其中一名队长问道："你们这儿有叫楼刚的吗？"

楼刚站起身来问道："我就是，什么事？"

"你被拘留了！"

"我犯了什么罪？"

"你对郑林藻使用了暴力攻击，触犯了刑律，跟我们走吧！"说罢不由分说，给楼刚铐上手铐。

潮龙赶紧解释："同志，事情没那么严重，我来给你们解释。"

队长脸儿一沉："要解释，去分局，别妨碍公务。"然后连推带搡将楼刚带走了。

郑林藻通过电话，将自己的受害经过进行了生动的描述。无可辩驳的"犯罪事实"，使潮龙的任何试图减轻楼刚的行为性质的说辞都显得苍白无力。在老屈的"关照"下，楼刚以"流氓滋事行为"被处以15天行政拘留。

在探视室，楼刚红着眼圈握着潮龙的双手，有些哽咽地说道："潮龙，别为我的事分心了，赶紧把状子写好递上去，告倒那老丫的！"

法院的传票很快到了郑林藻的办公桌上，他轻蔑地笑了一下，随即拉开抽屉，抽出一本厚厚的名片册，翻到其中一页，然后拿起电话，按动了号码……

按照程序，法院开始了庭外调解，负责调解调查工作的是一个叫许超的中年人。此人忠厚善良，办事细致认真。他对潮龙的处境深感同情，表示要尽全力帮其追回货款。调解工作围绕着潮龙提出的远东公司具备支付能力而拒绝付款及合同违约责任两个焦点进行。而郑林藻否认第一项指控，为了确证，调查组查询了远东公司的开户银行，潮龙惊异地得知，账户上现有资金仅 2 万元，而那 80 万元神秘地失踪了；而当调查随着那 80 万元追寻去踪经过两家客户公司最终落实到环亚总公司北京分公司时，许超忽然接到了一个神秘电话，随即调查宣告停止。郑林藻此时的态度忽然发生了奇迹般的微小转变，而这显然要归功于法院的"调解成功"。他愿支付 14 万元合同违约责任金，从而标志着调解工作将"圆满结束"，但仍矢口否认第一项指控成立。当潮龙就仅有 2 万元存款的账户突然具备 14 万元的赔偿支付能力深表质疑时，环亚总公司北京分公司向他出示了一张远东公司开具的 14 万元的供货发票。在来自各方势力的强烈暗示下，潮龙被告知此案已宣告结束。但仍有 20 万货款得不到解决。气愤难平的潮龙决心继续上诉，但他得到了许超善意的规劝。许超给他做了一个非常生动的比喻。郑林藻这个案件就像是一根高压电缆，有高压强电流通过的电缆芯就是一个利益链，它们丝丝相扣，紧密相连，但在有绝缘橡胶做表皮的包裹下，这条电缆是安全不伤人的；而潮龙的所为是用火烧化了一块儿绝缘表皮，从而使电缆芯裸露出了一段，这裸露出的一段就是郑林藻。如果潮龙继续对案件追查下去的话，等于是用火沿着已裸露出的电缆芯继续将绝缘表皮烧化，从而使全部电缆芯，也就是那条利益链彻底暴露出来，这样电缆芯所具有的强高压电流就会击伤纵火人。如果潮龙执迷不悟的话，他就将成为那纵火人。

在法院门口，郑林藻拍着潮龙的肩膀得意地说道："小肖呀，你看咱爷俩，谁更会玩儿买卖呀？"潮龙两眼怒视着他。郑林藻继续微笑着："年轻人不要火气太盛哟，我想那个伙伴一定比你更理解这个道理。"说完转身钻进了一辆簇新的奥迪扬尘而去。

潮龙狠狠地咬着牙，很久，很久。

孟飞听完了潮龙对事情经过的叙述，宽慰地说道："得了潮龙，事情办到这个地步已经很出色了，很多经济纠纷即使对簿公堂，都未见得能解决得了。不是还差20万吗？没赔打一平手，吸取教训，以后做漂亮点就得了。另外我告诉你，分局那儿我已经使了劲儿，楼刚已经出来了，你去看看他吧。”

在东四瑞珍厚饭庄，潮龙摆了一桌酒菜，为吃了一星期窝头的楼刚接风。

但楼刚面对一桌酒菜却毫无食欲，当他得知官司只为他们赢回来14万的货款，而还有20万将永远属于那送他进班房的浑蛋时，他伤心地哭了。

他流着泪对潮龙诉说着：“潮龙，你说咱们是不是就属于那种心比天高，命比纸薄的窝囊废呀！咱这道儿怎么一直就不顺呀。咱给人打工当马仔的时候，干的是刷厕所的活；想本本分分地卖汽水吧，被人砸了摊子；好不容易傍一农民大款想咸鱼翻身，还差点儿把自己都给赔进去。孟飞仗义拉咱们一把，好端端一笔大买卖没给人玩出响儿来，倒给自己玩儿局子里去了。你知道吗，在圈儿里，跟我关一块堆儿的不是抢劫的就是搬大闸的，最㞞也是个诈骗的，可他们一问我为什么关进来，我说就因为给一欠钱不还的傻逼一大耳切子，你猜他们说我什么？他们说我才是傻逼呢！呜……呜……”楼刚说着失声痛哭了起来。潮龙此时也已泪流满面。许多吃饭的人都惊异地向这边看着。

少顷，潮龙狠狠抹干了眼泪，用双手捧起伏在臂弯里仍在啜泣的楼刚的头，咬着牙挤出了一句话：“楼刚，我向你发誓，这是我们最后一次为我们的不幸哭泣。我一定要追回那20万！”

晚上回到家里，已是11点了。潮汐已经安睡了，潮龙却全无睡意。他静静地立在窗前，望着静谧的夜空。楼刚那张哭泣的脸总是挥之不去地浮现在他眼前。他的脑海里又闪现出郑林藻那得意的嘴脸。他何以会如此狂妄？因为在他的背后有着复杂的背景与莫测高深的势力。他经营上的失误，可以让他肖潮龙来承担失败，他可以把他的意志很随便地强加给他接受，他可以很肮脏地扮演一副受害者的嘴脸，来蒙蔽法律。潮龙忽然感到，正直的力量有时其实很脆弱，在邪恶的惊涛骇浪中，像一只断桅的孤帆，被暴虐地拍打着，撕扯着。他感觉他就像那孤帆，那么势单力薄，以至于在受到不公正待遇的时候，却只能逆来顺受，忍气吞声，然而这与他的性格是绝对不相容的。人为刀俎，我为鱼肉，办不到！潮龙顿悟，他需要依傍一种力量，一种强悍的力量，一种在他感到屈辱时能代他表达强硬态度的力量。这力量将游刃于法律与道德的缝隙中，因为它们所能提供的公正是很有限的。在这力量的威慑下，没有人能再令他屈从他人意志，他们甚至会恐惧地想到，与他作对，是要冒生命危险的。而获得这一力量的源泉就是智慧和金钱。金钱可以获得这力量的忠诚，而智慧则可以操纵这力量。令他感到欣慰的是，这两样东西，他都自信地拥有！潮龙这样想着，已踱到了书柜前，他打开柜门，从中取出了一本书——马里奥·普佐的《教父》。

第六章

一

食物链

在东四十条附近的一个胡同里，离胡同口约20米远的地方，有一个面南朝北的良民饭馆。此时已过了晚上9点，早已过了饭点儿，店铺里显得很寂寥。一张桌子旁，一位年轻母亲正在为她3岁的儿子喂着鸡蛋汤，桌上几近盘干碗净，显然他们在消费着最后的胃口。另外一张桌旁，两个蓬头垢面的外地民工正狼吞虎咽着两大盘显然由于厨子对于用油的吝啬而造成的大面积煳迹的炒面。他们那暴撮的姿态显示出他们对此并不介意。从他们对于醋的消费量上推断，他们可能来自山西。大概他们觉得北京熏醋的淡而无味，应当是一种将他们老家的山西老陈醋稀释后的效果。

老板熊良对着两个雇来做招待的外地姑娘，交代了两句他对卫生标准的理解，然后，叼上一支"天坛牌"雪茄，慢悠悠地步出了饭馆。他站到了饭馆门前的台阶上，哼着小曲儿，百无聊赖地欣赏起了无尽的夜色。

熊良不到30岁的年纪，1.80米的魁梧身材，显示出他曾经受过良好的身体素质训练。他的发型永远是板寸，从那平得都有些做作的头顶看，他对于发型的几何要求是很高的。熊良长着一张只有人们在与他建立了长期友谊之后才能逐渐释怀的冷脸。其实与其说其冷，倒不如说其狠，他脸上的每块细小的肌肉，大概因为过多地参与了对令人生畏表情的塑造，而变得非常硬朗。他的嘴唇薄得像白种人，说话的时候，上嘴唇紧贴在上门齿上，只通过下嘴唇的微弱蠕动，而完成发音的功能，不禁使人怀疑，在达此境界之前，一定有个艰辛的故事。他的双眼大概应当是所有的器官中对他的性格解释得最透彻的地方。望着这双眼睛，会使人联想起关在地狱中的所有的词儿。在他右眼眼角膜上有一块白内障似的斑点，但这斑点似乎能在某些眼神的塑造中起到喧宾夺主的效果。

显而易见，这是个有着暴力生涯的人。

熊良应当算是一个老炮儿级的顽闹。在他只有十几岁的时候，他那暴戾的性格，就已构成了邻居们忧愁生活中的一部分。他那善良的二老，总是以一种无奈的目光，看着这个成功地背叛了他们懦弱性格的儿子。到了熊良18岁的时候，这种天性已随着他那发育完美的体魄而升华至极。他已能通过组织一些暴力小群体，在完成一些解释他愤怒的活动中，树立起了他邪恶的威望。渐渐地，在他生活的一块空间里，他已找不到愤怒的理由，这使他在潜意识中感到一种不安，就像患性压抑的人一样。他需要愤怒，需要在表达愤怒中感到快意。于是他开始到更广泛的空间去寻找。在与更多的同类交流过程中，他有了一个江湖名字——凶狼。关于这个名字的故事，在一些小级别的后起之秀中，被作为经典史诗传颂着。

那块白内障，就是这诸多经典中的一个缩影。那是一次百人群殴，其壮观的血腥场面，可与中国早期的反映农民暴动的影片相媲美。凶狼率领他的勇敢的三十几个兄弟，顽强地抵御住了两倍于己的叫板声势，但在切磋中，他的右眼被一把新疆喀什刀的刀尖留下了一个令眼科医生都叹为绝笔的杰作，凶狼以《三国演义》中夏侯惇拔矢啖睛般的勇气继续独目作战。他令那连着喀什刀的躯体上，写满了人生中所有的不幸词汇。

但凶狼也有无奈的时候，那就是在历次"严打"中，他总要烦躁地与法律聊聊天儿，随后便开始对着自由唱相思曲。

　　或许也是因为随着年龄的增长，兴奋的脑垂体开始发生变异，总之凶狼决定收敛个性了；但可别指望他会像横路敬二那样，彻底对世界产生好感，宽宏的党和人民开始考虑如何使他的激情服务于国家——他入伍了。

　　在武警广州支队岭南特警队里，熊良在接受严格的军事训练的同时，也开始接受人生观的重塑。经过锤炼的军事素质，可以使他胜任类似《突袭贝鲁特》式的军事行动，而从无产阶级式的友爱中培养出来的修养，使他开始觉得，以往的生涯，恍若隔世。

　　他立了二等功，受到了嘉奖。

　　那是在一次于广州街头执行任务时，他成功地阻止了七名烂仔向一位小姐表达性意识。他使他们全都躺在了地上，寻找他们的不通过镜子就可以看到的牙齿，以及为他们那堆断裂的肋骨配上对应的阿拉伯数字，当然是用粤语发音。

　　最能体现改革开放后的巨大经济变化的广州，也给熊良启蒙了商业意识，尤其是在部队接待了许多来广州办货的弃武从商的昔日战友后，更使他决定了退伍后的走向。

　　回到北京后，已28岁的熊良推辞了进国家安全部的调令，他说服了二老，扒掉了一段屋墙，开了这家饭馆，以他名字的最后一个字，诙谐地组合了他对新生活的美好表达。同年，他与青梅竹马、从小就一直心存好感的同院姑娘周黎艳结婚了。不久，周黎艳考进了外企服务总公司，在一家香港公司驻京办事处中任秘书工作。

　　尽管凶狼努力使自己做到在别人心目中享受到普通人一样的感觉，但一件意外事情的发生，使他彻悟到，在人群中生活，还需要保持必要的狼性！

　　饭馆开业后，许多昔日的战友及道上兄弟纷纷前来祝贺。在他们中间，不乏已在商界中展露峥嵘的人物，所以维持饭馆经营的业务挑费上，熊良得到了大量帮助，玩副食水产的朋友几乎使他足不出户就可以得到货源，这令熊良甚感欣慰。

　　但由于良民饭馆地处背静，客源稀少，所以营业收入总不甚理想。渐渐地，朋友们都各有生计，为利益奔波，重温昔日友情的机会日渐稀少，最后索性不相往来了。这使熊良着实伤感了一阵，他明白了，世间万情难抵金钱诱惑。

就在他为经营状况苦恼的时候，他那多年磨砺的修养开始面临挑战。

一天傍晚，进来了五个小痞子，大呼小叫地挑剔着饭馆的服务。熊良冷冷地看着他们放肆，这些小母蛋儿的东西实在无法使他产生施暴感。他们在他眼里，就像是老鹰眼里刚出壳的小鸡。

他嘱咐伙计快着点给他们侍弄好了，打发滚蛋完事，自己回到后院家中看电视去了。过了一阵，服务的姑娘惊慌失措地跑来告诉他，那几个小子不付账就想走。

熊良来到饭馆里，见那几个小子正在对一个伙计大骂咧子，其中有俩手里还晃着刀子。见熊良进来，其中一个像是个头份似的小子阴阳怪气地告诉熊良，他们几个今天吃饭谁都没带钱，让先把账赊着，说着，还有意无意地晃着手里的家伙。

熊良冷冷地盯了他们几眼，咽了口气。毕竟是过来的老顽闹了，他很明白，这几个小子跟他小时候刚往起煽时那样子一样，根本不管什么理智、后果。只知道由着性儿来，杀了人后干瞪眼，那是活该。他现在是有家有业的人，犯不着让这几个小母蛋儿的砸了馆子，陪着他们进班房。他现在得指着这个饭馆活着呢。

熊良一笑，大度地告诉他们，这顿饭由他请了，五个小家伙颐指气使地走出了良民饭馆。

此事一过，熊良也没往心里去。

没承想，才过两天，那几个小子又来了，这回还带一小蜜。一顿暴撮之后，这回连招呼都没打，就推门走了。

熊良开始琢磨这事了，很快，他有了对策。

不出熊良所料，几天之后，来的不是五个了，是八个，显然他们的同伴开始嫉妒他们的口福了。

在小哥八个透露出要走的意思后，熊良向伙计使了个眼色，伙计走上前去，按熊良事先的吩咐对那个小头份说明让他们一并将三次的餐费付清。

叭一个大嘴巴，扇得那伙计差点儿摔倒，口鼻染血。

熊良微笑着走了上去，告诉他们伙计不懂事，说错了话。他还告诉他们，在他的饭馆里还有一道拿手菜，想请他们品尝一下，以便消消气。

小伙子们愉快地催促着。

熊良转身进了灶间，取了一把磨得锃亮的特大号川刀，置于一个托盘内，上面用一个盖帘盖好，随即走出了灶间。

他仍微笑着走到那个小头份身边。八个人正狐疑于那扁平的托盘上会有什么好菜时，说是迟，那时快，只见寒光一闪，那小头份的右耳连着一大块脸皮已被片到了肩膀上。还没等惨叫喊出口，第二刀又剁在了颅骨上，发出了一声砍在糟木上的声音，就在血淋淋的脑袋带着身子向后仰倒的时候，第三刀嵌进了锁骨里。

七双膝盖几乎同时与地面发生了接触。

熊良微笑着从七双像摸了电门的手中，接过了除去三次餐费后，足够向工商部门交纳半年的税收。

在那七个娃娃扛着他们烈士般的领袖，依次逃离良民饭馆时，在他们背后，响起了一个史泰龙似的声音："回去问问你们的父亲，听到'凶狼'这个名字，他们尿过多少回裤子！"

所有这一切，都被正在另一张桌子吃饭的潮龙与楼刚看到了眼里。

潮龙在反复通读了《教父》以后，结合自己在李殊家里看到的《教父》影片中许多经典的镜头，进行了深刻的思索。他对《教父》中的两个主要人物，父亲唐·维多·科利奥尼及儿子迈克尔·科利奥尼进行了深入细致的分析，掌握了他们介入并生存于黑社会中的一些法则。

他得出结论，黑道中的暴力型人物，由于他们天性使然，总是使他们的行为难融于社会而受到法律的制裁，而他们自己也总是苦恼于找不到使他们暴戾的性格与法律控制的社会秩序相契合的交点。因为他们在对于这些问题进行思考时所需要的脑细胞，被太多的暴力因素吞食了。欲寻到这种契合点，是很难的，这需要有一个纷繁复杂的高智商、高情商的思维体系的头脑才能做到！

在国外的许多黑社会犯罪的案例中，均能说明这一论断。某个慈善机构的基金会实质上是一个黑社会贩卖毒品收入的洗钱场所，但它却使相当一部分穷人感到了财富的温暖，从而使这个基金会的存在，具有权威般的合法性。这实际是罪恶与善良社会间的一笔交易。一个德高望重的大法官，由于坚定不移地惩黑肃暗，致使他的亲人们无法将他的肢体组合成一个完好的人形入殓。而真正的谋杀动机者、策划人却无法受到法律制裁，因为他是一个受人尊重的有地位的人，在他与直接凶手之间，有着一个庞大的社会关系的缓冲层。这个缓冲层，会将他与罪恶的联系脱离得一干二净！这就是为什么美国中央情报局、联邦调查局不惜将自己的特工在他们面临种种人性挑战的情况下，打入黑帮，在迫不得已而助纣为虐的过程中，将那些隐蔽得很深的罪恶绳之以法。

潮龙痛心疾首地悟到了这些。但他只要生存在这个世界上，就永远无法回避开这些事实。郑林藻给他带来的不幸，迫使他痛下决心，以恶制恶！

潮龙还深刻地意识到，在解决某些人性及物质利益的争端过程中，暴力是最直接有效的手段。但在用人性解释暴力的精彩程度上，他是永远也无法与凶狼这样的人物竞争的，因为上帝把那些具有高智商思维体系的脑细胞给了他。这使得他与凶狼式的人物，具有一种完美的互补性！

潮龙开始使自己的生活领域向阴暗面扩展。他开始出没于一些地下赌场，以及另外一些被社会斥为藏污纳垢的场所。在他总是在一些赌博游戏中，很"背运"地输掉一些钱后，他获得了一些黑道朋友的友谊。在这种接触中，他越来越多地听到一个名字——凶狼。尽管这名字标志着过去的一个时代，但那些故事中所揭示出的人性，使他很感兴趣。他坚信，在商品社会里，人们对于金钱的渴望，能够把他们的本能发挥得淋漓尽致。他开始渴望得到凶狼的友谊。终于，他从一位凶狼昔日的战友嘴里，得知了良民饭馆的地址。

第一次在良民饭馆里用餐，他们就非常有幸地目睹了凶狼的一次淋漓尽致的天性展示。潮龙相信了那些故事的真实性。他们开始频繁地来这里用餐，在办了两次全包席以后，潮龙已开始称呼熊良为"良子"了。而熊良也开始对这位屡次照顾他惨淡生意的朋友产生了好感。这使他在失去了那些昔日战友的友情后，心里多少有了一丝慰藉。

此时，饭馆中的两桌人吃完了饭早就走了，熊良又在门口待了一会儿，见伙计已扫完了地，便准备反身进屋。

"良子，还有饭吗？"熊良一侧脸，见是潮龙一人急匆匆地走了过来。

"哎哟，兄弟，这是从哪儿来的呀？怎么累成这样啊？"熊良笑问着。

"哎，刚从广安门车站那儿接一批货回来，太晚了，库房都下班了。我跟楼刚我们俩，当了半天装卸工，把货都入库了。"

"来来，快进来，咱哥儿俩喝两口儿。"熊良扒着潮龙的肩膀走进了饭馆，"你们那瓷器楼刚怎没一块儿来呀？"

"他累瘫了，说赶紧回家吃饭睡觉。"

两人在靠墙角的一张桌子旁落了座。伙计摆好了酒筷、凉菜，灶间里又叮吭五四地炒起菜来。

"又弄什么货了？"熊良呷了一口二锅头。

"从广州进的南韩水洗丝面料，准备投一批套裙。夏装这不快上来了吗？"潮龙嘴里嚼着花生米。

"这一夏天儿还不得弄它个十几个？"

"应该是。"

"啧，×，怎么咱就没长着这脑袋呀。"熊良感叹着。

潮龙看了他一眼："你开这饭馆不也挺好吗？我要弄一饭馆，没准还不如你呢。"

"别闹事了兄弟，你不寒碜我吗。就这破饭馆还好啊？老他妈不上人，这开了都快一年了，说邪乎点，连壶醋钱还没挣出来呢。唉……"熊良的语气充满了悲观。

"良子，那你没分析分析，什么原因呀不上人。"

"一是背，二是咱这门脸也面点。我看街口上那几家馆子里炒那菜，还他妈不如我这伙计呢，我们这伙计正经川厨啊！来，来，你尝尝这家常腰花儿。"此时，伙计已开始往桌上布菜了。

"那么明白，还不动换，把这门脸重新装了，背没关系，胡同口儿立一路牌，弄漂亮点儿，管保你能熥过阿静去。"

"嘿哟，我×，兄弟。"熊良的笑纹里堆满了苦难，"您是玩大买卖的，嘴里蹦俩子儿不当回事，就我这点儿小产业，挪块砖都得花大笔的替，咱不是不趁替吗？"熊良越发伤心。

潮龙此时停住了杯筷，他久久地凝视着熊良，随即郑重地说："良子，你只管装吧，我给你托替。"

熊良惊奇地注视着潮龙，半天没说话。

"干吗这么看着我，我脸上刻着惊险小说吗？"潮龙试图让那令人生畏的表情柔和些。

他成功了，尽管那笑有些勉强。

"兄弟，这话可不是随便说着玩的。咱俩虽说有点交情，但还没到那份儿上。你这么做，不觉得太过分了吗？"

"我又不是说给你，算借的，成不成？等将来，你这饭馆门口让大奔塞满了的时候，你还愁还不上我呀？"

熊良忽然腼腆了起来，这在潮龙看来简直像是天方夜谭："那我也觉得有点儿不太合适。从你头一次进我这门，到现在，一直就去那掏替的了，我还什么都没为你做过，现在又向你托替，不少哪，我估计，怎么也得小两个。让我这脸儿还真有点儿挂不住。"熊良这番话让潮龙觉得，在那冷酷的外表里居然还有一副挺江湖侠义的心肠。他对熊良的某些认识开始发生一些转变。随即他认为，到了开始利用他们之间友谊的时刻了。

潮龙装出一副很随便的样子："良子，你要真觉得不太合适，那我求你给我办件事。"

熊良一下很感兴趣："别那么客气，什么求不求的，你说吧，只要我能做到的。"

潮龙严肃了起来："我有笔 20 万的货款，拖了快一年了，想了各种办法，当然都是合法的，也结不回来，打官司也没用，对方公司的经理是一挺有势力的老棺材瓤子。楼刚还因为跟丫急，给了丫一耳刮子，被丫弄到圈儿里给关了一礼拜，后来我们公司老总托了人才把他弄出来，不然待的时间还得长。为这事，他手下一伙计，就是给我们介绍这生意的人也跟丫马逼了。就在他说他没钱给我的时候，丫买了一辆奥迪，这口气我一直窝在肚子里。"潮龙说完，脸上显出懊丧的神情。

"要是我就弄死丫的！兄弟，这事你交我办吧！丫这公司叫什么名儿，在哪儿？"在熊良的记忆中，显然没出现过如此窝囊的事。

"良子，首先，我不希望你办这事时出事。你也一家老小，犯不着意气用事。况且，这老棺材瓤子不好对付，丫在社会各界全有托儿，弄不好，你连怎么死的都不知道。这事要办，就得办得艺术点儿，要让他把钱吐出来，还不敢报复咱们。这事待会儿咱哥儿俩好好合计合计。现在你听我说，事成之后，这20 万中的 20% 是你的。你别跟我客气，第一，你付出了劳动，这活儿有一定难度，你理所应得；第二，这 20 万是我那笔生意的纯利润，这么长时间了，多点儿少点儿也无所谓了。你要同意，咱哥儿俩干了这杯中酒。"潮龙说着举起了酒杯。

"成，兄弟，干！"20 万的 20% 是 4 万，这对于惨淡经营的良民饭馆来说，意味着歇业两年而放弃的收入，杯中酒落肚，熊良心中暗暗下了决心！

郑林藻的心情最近显得有些烦乱，倒不是因为生意，让他心烦的是一个叫小红的喇。那是他一次去国贸中心参加一个会议的时候，在大厅旁的一个走廊里被傍上的。这小红显而易见是个风月场的老手，她已从老郑这里绣走了两串金项链、三颗宝石戒指和一个精巧的意大利坤包，而可怜的老郑迄今为止，也还只能隔着那薄如蝉翼的丝质内衣，触摸那令他意往神驰的、极具肉感的胴体。

"这该死的小婊子。"郑林藻坐在办公室的皮转椅上恨恨地想着，"不让我好好办你一次，甭想再从我这儿榨出一滴油。"这样想着，郑林藻的脑海里又情不自禁地浮现出小红的那两只突兀晃动着的胸脯。他的脸颊与耳根，也随着这兴奋的幻想而变得潮红了。

"经理，这儿有你一个快递。"秘书小王走了进来，把一个十公分见方的布包放到了郑林藻的桌子上后，转身出去了。

郑林藻此时终止了他的生理反应，从椅子上挺直了身子，盯视着这个布包，上面只有他的公司及他本人的名字，而没有落款。郑林藻不禁感到奇怪，隔着办公室的门喊了一句："小王，这包儿哪来的？"

"一个外国小孩儿刚送进来的。"

"妈的，搞什么鬼。"郑林藻骂了一句，随即撕开布皮，里面是一个木质的小匣。郑林藻拉开上面的抽拉盖，登时吓得浑身一激灵，双眼瞪圆，倒吸一口凉气。

匣里装的是一只被活剥了皮的癞蛤蟆，那可怜的小心脏，仍怦怦地跳动着，展示着它无辜的"晚年"。

这是怎么回事？这个问题以第一宇宙速度在郑林藻的脑海里一气转了360圈。

"铃……"一阵电话铃响过，郑林藻一把抄起电话。

"喂？"

"郑先生，"电话里传来一个低沉的男音，"那小伙计没对您说点什么吗？关于它的遭遇，还是我来告诉您吧。它大概不懂您的语言，我的老板对我说，再结不回那笔账，就活剥了我的皮，我 ×，把我吓坏了。我认为很有必要让您分享一下我对那血淋淋场面的恐惧。"

"你是谁？你说哪笔账？"郑林藻的声音有些发颤了。

"那您就好好想想吧。"

电话挂断了。郑林藻蒙了一下，他感到自己心跳的速度有些过分了。他以极快的速度，在脑海里排出一串儿债权人的名单。

这是他妈谁呀？这么大胆子敢威胁国家干部。心里骂归骂，他很明白，头顶上这串雷，看来要炸。

"铃……"电话铃又响了起来，郑林藻惊恐地看着电话，像是看着一个行将爆炸的炸弹，随即一把抓起送到了耳边。

"郑老板。"一个娇滴滴的声音传了过来，郑林藻这才长出了一口气。他听出又是那个小婊子来向他调情了。

"这两天我好寂寞哟，没你在身边，我觉得生活都失去了意义。"

"别逗了，小乖乖，你又飘了吧？"郑林藻刚才紧张的心情此时一下被电话中的声音搔弄得荡然无存，他仿佛已通过电话看到了那娇俏的身影。他又开始了生理反应。

"哎哟，郑老板，你也太小瞧人了，你以为就你有钱呀。真讨厌，我不理你了。"

"哎，别，别，别，我跟你逗着玩呢！怎么样，今儿有什么好节目？"

"皇庭歌厅今晚有美国来的'上帝的外甥'摇滚乐队首场小规模演出，你可一定要带我去哟。"

"行，宝贝儿，那然后呢？"

"然后嘛，我知道郊外不远有一家三星级的小宾馆，我们在那儿搞点余兴节目好吗？"

"噢……好，好，好！"郑林藻简直已经欲不可支了。

"今晚 7 点，我在皇庭酒店大厅等你，你要不来，我可不饶你。"

"放心吧，小乖乖。"

撂下电话，郑林藻一下子心情好得无以复加："去他妈的恐吓电话吧，准是哪个臭小子结不回账去，挨了领导的剋，想给老子来个恶作剧出出气。嘿，也不想想，社会主义法律岂能容你小子胡作非为。结账？门儿也没有，钱要都给你们结了，我拿什么去傍那些大飒蜜呀！我刚才真他妈蠢，生活这么美好，我发的哪门子愁啊。"郑林藻这样愉快地想着，一边已打开了墙角处的保险柜，从中取出了两捆大钞，想了想，又换了一捆外汇券，揣进了西服里兜，锁好了保险柜，坐到皮转椅里，双手交叉置于脑后，一晃一晃地哼起了小曲儿。等待着那个幸福时刻的来临。

当郑林藻踏入皇庭酒店的时候，小红已坐在大厅中的沙发上等他了。今天，她穿了件淡粉色的低胸超短的连衣裙，烫着一头乱发，脸上化着中性妆，脖子上围着一条金灿灿的项链，那是郑林藻众多慷慨中的一次产物。

小红见郑林藻走过来，便起身迎了上去。尽管每天在郑林藻的脑海中浮现的都是这副小模样，但当他见到小红今日这番显然是经过了一番细致装扮后的形象时，还是炫目了一下。"他妈的，这小婊子就是撩人啊！"郑林藻心里狠狠地慨叹着。

"郑老板，你先陪我转转。"郑林藻身不由己地被小红拽着来到了大厅中央的电梯处。他们乘滚梯下到了地下一层。在"屈臣氏"商店里，郑林藻感到，他那挡在钱包前的理智，被小红一个娇嗔的眼神轻而易举地击溃了。他又像个甩手大亨似的，为一瓶香水、一瓶指甲油和一包内裤埋了单。

在走出"屈臣氏"门口的时候，小红对郑林藻说："哎，郑老板，你知道吗，皇庭这儿有卖世界一流的杰尼亚西装，你还不来一套，那可是真正的世界名牌。穿杰尼亚，连美国总统都要同他握手呢。"

郑林藻一脸苦笑："得了，宝贝儿，我先尽着你雅吧。"

接着，郑大款又在劫难逃地陪着小红在中餐厅里生猛了一回。

在歌厅里，"上帝的外甥"们披着金色长发摆弄着手中的玩意儿，配合着他们那声嘶力竭的震吼，在这北京著名的豪华饭店里制造着五星级的激情。

　　小红浑身战栗，激动不已，而郑林藻却痛苦得直摇头。他实在不明白，中国海关是怎么同意这帮美国疯子入境的。如果说他还能从他那迟暮的生命中再找到一点类似的狂热的话，那只能是在床上。他这么猥亵地想着，不禁看了一眼身边的小红，他看见一双大波正随着鼓点有节奏地上下震颤着，他的脑子轰地一热，情不自禁伸过手去，摸了一把。

　　"嗯！"小红厌烦地瞪了他一眼，又自顾自地陶醉起来。

　　嘿嘿，郑林藻猥琐地干笑了两声，心里暗道："小丫的，别着急，待会儿到了床上，我非办死你。"

　　终于熬到了美国疯子们说"bye-bye"。

　　两人在饭店门口上了的士，司机按着小红的指引，一路向郊外驶去。

　　房间像是小红预订的，她轻车熟路般地引着郑林藻走在客房通道上。她还给了一个迎面走来的保安员小费，像是很熟的样子。

　　郑林藻此时浑身的组织细胞都已因为极度的兴奋而加快了繁殖的速度。他恨不得马上抱起前面这个娇小的身影，甭管哪个房间，一下撞进去得了。他已憋了一个晚上了……

　　房间的门终于打开了，小红伸手打开灯，刚把门带上，就被郑林藻一把抱起，扑在了床上。

　　小红使劲挣了出来，冲郑林藻嗔怪着说："你别那么急嘛！我刚才出了一身汗，先让我去洗个澡，有一晚上陪你玩儿呢。"说着在郑林藻气喘吁吁的脸上拍了拍，"你先宽衣吧。"

　　"那你快点儿。"郑林藻一边笑嘻嘻地说着，一边开始解衬衫扣。

　　待小红再度回到房间时，见郑林藻已赤条条地躺在了床上，衣服脱了一地。

　　郑林藻见小红依然一副穿戴整齐，未经洗浴的样子，以为她放弃了初衷，便合身扑了上来。

　　"叭，叭！"两记响亮的耳光，给郑林藻扇傻了："你，你这是干吗？"

　　"瞎了你的狗眼，敢打老娘的主意。瞅你丫那操性，整个就是一扒了皮的大癞蛤蟆！"

"扒了皮的大癞蛤蟆？"郑林藻一下子想起了那个恐怖的小包。

"砰"的一声，客房门被推开了，闯进来两个人。一个就是刚才过道里的那个保安员，而另一个，正是凶狼。

小红一见凶狼，忙说："狼哥，我的活儿完了，该你了。"

"干得漂亮，妹妹，坐一边先歇会儿。"

"你是谁？想干什么？"郑林藻惊恐万状，说着要捡地上的衣服想往身上穿。

"别动！"凶狼此时手里已握住了一把匕首，他脸上的肌肉又开始为愤怒工作了。

郑林藻浑身一哆嗦，他感到眼前这张脸，即使在他面前一晃马上消失，他今晚也绝对不会再有性欲了，哪怕床上躺的是玛丽莲·梦露也一样。他吓得体如筛糠，只能顺从地继续赤条条地站立着。

凶狼向旁一伸手，保安员递给他一个塑料袋。凶狼从中掏出一只癞蛤蟆，麻利地用刀尖在蛤蟆的腹部划了一个口子，继而用手扯住挑飞的皮，向上一撕，三下两下，一个被活剥了皮的癞蛤蟆，又呈现在郑林藻面前。

"你是上午打电话的那人。"郑林藻哆嗦着说道。

"不错，我受肖潮龙先生的委托，来向你讨那笔 20 万的货款。"说完，他将那蛤蟆扔到了地上，一近身，贴到了郑林藻的身前，探左手就是一个"野马分鬃"，右手持刀往上一递。

"别杀我！"郑林藻杀猪般地号着。

噌，一撮"护眼儿毛"捏到了凶狼手里。郑林藻像堆烂泥瘫到了地上。在他的羞处，非常尴尬地出现了一块不毛之地。

凶狼随即从地上捡起了郑林藻的内裤，将他那撮损失置于内裤上包好，装进刚才盛过蛤蟆的口袋里。

凶狼的声音威严地响彻郑林藻的耳边。

"你丫听着，我不管你想什么辙，一星期内，归还潮龙那笔货款。否则的话，我想，扒人皮也不会太难吧。另外，我还会向尊夫人解释：你裆上的那块鬼剃头是怎么回事。同时，"凶狼晃晃那个口袋，"你们总公司里的所有人，都会对这口袋里的故事津津有味儿的。"

三天之后，良民饭馆从里到外进行了一次体面的装修。

坐在焕然一新的良民饭馆里，熊良显得无比兴奋。他一边给潮龙斟着酒，一边愉快地描述着："潮龙，你要见过一位老人被吓成那副搡相，你大概会原谅他的愚蠢的。"

"哼！"潮龙狠狠地冷笑了一声，"良子，要是你曾见过我们哥儿俩曾被他害得抱头痛哭，你大概连他的父母都不会原谅的。"

熊良一下被潮龙此时的神情感染，收敛了笑容："那你还让我只狠褋丫一下，要按我的意见，给那玩意儿阉了得了。"

"良子，我说过我不希望你在办这件事时出事，这就要求我行动中的每一个步骤，都要考虑到后果的安全性。像这老棺材瓢子这样的，属于奢大胆小：一方面，他为了满足私欲可以铤而走险，干伤天害理的事情；另一方面，他又色厉内荏，惜命无常。所以我必须在不痛不痒与狗急跳墙之间找到一个合适的尺度：刺激轻了，他不理会；刺激重了，真逼得他破罐破摔，跟你死磕，你的努力就全白费了。所以在使用暴力手段这方面，我的原则是：在给他的心理承受能力留有余地的前提下，尽可能重地槲他一下，让他吓得心惊肉跳还不敢急。要是你把他阉了，逼着他彻底没法做人了，他也就该跟你死马了。另外，为了这次行动成功的把握性高一点，我采取了双保险措施。就是小红给他玩的那场性游戏，我仔细观察过那老棺材瓢子，发现丫是一个极慕虚荣的人，他是不会为了这20个，牺牲他晚年的家庭幸福的。同时，丑闻一旦传到他的上级总公司里，他那亲家林总再有权威，恐怕也承受不住舆论的压力，保不齐就能给丫那公司撤了，给丫贬为庶民。这对于一个刚通过自己的无耻享受了没多长时间的款爷来说，真好比就像是本来想在天堂门口遛遛弯，结果一没留神溜进了地狱中一样，为这20个他觉得划算吗？况且，他可以再去害别人把那20个再挣回来。但是，他绝不能害我！"潮龙说到此时的目光中，泛出一种慑人的凶光。

熊良微笑颔首，久久无语地凝视着潮龙……

自此以后，潮龙与熊良的关系愈发亲密了起来。饭馆由于装修并增设了胡同口的漂亮标牌以后，经营收入有了明显的提高。同时，潮龙还向熊良就经营方式，提出了许多实质性建议，诸如为一些商务团体和公司配送午餐盒饭；在饭馆的现有基础上，又打出一块隔断，极富情调地装修了一个苗寨风格的单间，雇了一苗族姑娘，向客人们充分展示她那天然的苗族风情。潮龙还非常巧妙地使他的许多商界朋友熟识并热爱上了良民酒家，它现在已不叫饭馆了。随着客人档次的不断提高，熊良开始有了名片，并安装了电话，因为在他的门口，真的开始停大奔了。熊经理深深地感激潮龙为他所做出的一切，他已经越来越意识到，在他的生活中，不能缺少一位像潮龙这样的真诚的智囊型朋友。

经济上宽裕后，熊良也能有闲暇去消费情趣，他们的身影能够经常地出现在野外高尔夫球场、保龄球室、射击场等娱乐场所。

一天，潮龙、楼刚同熊良在丽都饭店的户外网球场上尽兴之后，进到休息室准备更衣撤退，因为上午11点，潮龙与楼刚要赶火车去上海办一宗贸易。

在卫生间里，潮龙与熊良正并肩站在小便池前工作着，楼刚在水池前洗着脸，熊良忽然对潮龙说：

"哎，潮龙，最近我这二哥也不知出了什么问题，一撒尿老疼，还他妈老往外流脓止不住。"

潮龙打趣："是不是急性尿道炎外带早泄呀？"

"别胡说八道了，三天前我跟我媳妇还一晚上练了六炮呢，特正常。"

楼刚这时凑了过来："嘿良子，你说这症状我们一瓷器以前也有过，没准是性病。你还是瞧瞧大夫去吧。"

潮龙也说："良子，这就是你不对了，虽然说饱暖思淫欲吧，也得有节制呀。是不是我们嫂子满足不了你，自个儿偷偷出去找喇贴替去了？"

"我 × 哥儿俩，我可跟你们急了。我熊良别点儿做不到，这爱情上绝对不含糊，除了你们嫂子，我是童蛋子儿！"熊良连笑带骂。

楼刚笑着从旁打岔："不过良子，你还真得看看去，真要是性病给耽误了，那你可真下不了狼崽了，挺悬的呢。"

熊良也有点疑惑了，但他还嘴硬着说："我估计不是，要真是，肯定也是前个泡澡堂子的时候，让哪个王八蛋 × 的给招上了。"

潮龙诚恳地劝慰着："良子，别担心，真要是的话，也好治，咱们国家现在医学水平高，治艾滋病的水平都能让联合国卫生组织派一代表团来考察；你现在马上去医院，我们哥儿俩得赶紧走了，不然火车该误点了，买俩软卧不容易呢。"

熊良被确诊得了淋病。由于发现较早，诊治及时，在打了两针淋必治后，晚上到家的时候，症状已基本消失。

从医生的嘴里，他否定了澡堂子受传染的逻辑。他的妻子周黎艳将要面对一张史无前例的藏脸。

从周黎艳那肿起老高的嘴里，熊良得知了真情。

原来罪魁是周黎艳的老板。那位港商从一见周黎艳，就垂涎三尺。久历情场的这位香港老板自有应对涉世未深而又爱慕虚荣的年轻女孩的灵丹妙药。他用加薪、未来同往国外考察的承诺，经常带其出入豪华场所，甚至卑鄙地暗示她不服从上司的旨意将会失去这惬意的工作环境等一系列手段，浇灭了她的忠贞。他们通奸了。

堂堂的凶狼竟被莫名其妙地戴上了绿帽子，还招了一身脏病，蒙受如此冤辱，这在凶狼看来，比他 30 年的生命中所面对的任何一次叫板都更甚！

怒火万丈的凶狼发起了凶猛的回击！

是夜的永安公寓里，于岭南特警队中锤炼出来的非凡的军事素质，使凶狼似兰博般神兵天降。在那可怜的港商看着他的两个曾遐迩闻名于香港黑社会中的贴身保镖依次拥抱了地面之后，他在今后的余生中再也无法站立了，因为他的双脚被割断了脚筋。

两名保镖找回了他们叱咤于黑社会时的顽强。其中一个用露风的嘴对着无线电报话机，呼叫了公寓的保安系统；另一个则使其面目全非的脸贴在了凶狼的小腿上，他的牙齿深深地嵌进了凶狼的小腿肚子。他还用双臂紧紧地抱紧了凶狼的双腿，尽管他的脑袋遭到了毁灭性的重击，但他仍顽强地坚持到了保安人员包围了房间……

可悲的港商带着他终生残疾的躯体和一份1000万美元的投资计划返回了香港。

"熊良涉外伤害案"很快得到了判决。因其手段残忍，涉外影响恶劣，并给国家的经济建设带来了不可估量的巨大的损失，从重判处熊良有期徒刑20年！

在阔别了专政领域多年后，熊良重返囹圄，他被押解到了新疆石河子劳改农场，开始面对他那漫漫的刑期。

自上海返京后的潮龙惊悉这一变故，目瞪口呆。他深悔自己没能有机会阻止凶狼的冲动而令其遭到如此不幸。他连夜飞赴新疆，赶到石河子劳改农场，见到了凶狼。

在他面前的再也不是那个龙精虎猛的凶狼，而是颓丧，目光呆滞，脸上充满了无奈表情的一条悲狼。

潮龙久久地注视着他，说不出话来。

良久，熊良沉沉地对潮龙说："好兄弟，帮我把馆子卖了，把钱给我爹妈。"他没有提周黎艳。随即猛起身，走出了探视室。

潮龙木讷地呆坐了很久……

20年，这个数量词像浓重的阴影一样笼罩在熊良的心上。他时常有着梦魔般的感觉，他甚至有些不相信此时此地所置身的环境。怎么好像一夜之间，他就从那么美好的生活境遇中掉落到这炼狱般的鬼地方。这地方给他的感觉在他的记忆中已很遥远了，甚至都有些朦胧不清了。因为幸福的新生活留给他心灵上的刻骨铭心，已使他产生了深深的迷恋和依赖，他由衷地不想失去它。这种迥异的环境变迁给他带来的巨大的心理落差，使他许久不能产生解脱感，沉重的压抑感并没有随着周而复始而又乏味的劳改生活而减轻一点，反而与日俱增，他多么想再回到那美好的生活中去。他在这种茫然而又无奈的奢想中度日如年。他第一次以一个中年男人的成熟心态体会到自由的可贵！

一个叫老炮儿的犯人为熊良指点了迷津。

老炮儿是个年过花甲的老犯人，他以同狱中无人取代的高龄以及有着丰富江湖阅历的谈吐赢得了同狱犯人们的尊重，连劳改干部们也对其资深另眼相待。

入狱已十年的老炮儿的确有着不同凡响的经历。

老炮儿的爷爷曾是新中国成立前老北京一家著名商号的老板，随着新中国成立后公私合营的改造，到了老炮儿父辈这里，家业逐渐没落。烙印在老炮儿童年记忆中的家庭的奢华，随着他进入青年时代而灰飞烟灭了。资本家的后代成了无产阶级队伍中的一员，后来他成了一家药品公司的推销员。改革开放以后，沉淀在老炮儿骨子里那种家族世袭的商人基因，在他身上重放异彩。由于职业的缘故，使他在走南闯北的生涯中，积累了丰富的江湖经验，培养了一身老到的商人素质。渐渐地他意识到，一个令他找回童年梦的时代开始了。他果断地辞掉了工作，成了商品经济大潮中第一拨儿下海人中的一员。很快，老炮儿的邻居们便从他身上找到了中央常说的那句"让一部分人先富起来"的光彩生动的写照。老炮儿的发家是靠倒腾避孕用品。他令中国西北一个偏远农村，方圆几百公里的近万名男性农民，成了他提供的避孕套的受益者。为此，当地计生委对这个坚定不移贯彻党的基本国策的天使感激备至。他们为他制作了锦旗，却不知道该往哪儿送。后来，当他有一次跑业务途经一个小村子的时候，赶巧这里刚开掘了一个宋代的古墓。一堆沾着污斑的掉了碴的破碗，和另外一些残破的盆盆罐罐，使该墓的发现者，一个连媳妇儿都娶不上的王老五，一夜之间成了该村的首富。老炮儿深受启发，从此，这一带的农民，没能再得到他的避孕套，而在形形色色的走私倒卖文物活动中，多了一名精明的捎客。一年后，那在曾象征着他家族荣誉的著名商号的基础上改建的商场，被他整个包了下来，他成了那儿的总经理。历史奇迹般地在他手中复辟了。不幸的是，在一批大陆经香港转口发往非洲的几百吨谷物中，中国海关意外地发现了一只商代的玉鼎——国家一级保护文物。于是，已过了知天命年龄的老炮儿，结束了他的商旅生涯。他将在铁窗中迎接他那未来的花甲与古稀。他终于玩儿陷了。

从熊良一到来，老炮儿就以他那久历江湖的锐眼看出了属于那健硕躯体中的鲜明的生命原色。他对这种原色有着一种偏执狂似的喜好。这也许是由于他自身过分欠缺的原因，早在他早年奔跑业务中，就曾在东北的深山老林里与当地的胡子（东北话：土匪）建立了奇特的友谊。老炮儿长于用他的智慧生存技巧与各类人建立友谊。从这种关系的融洽中，他能获得满足。

在来自五湖四海的罪恶界同仁组成的大家庭中，亲切的京腔乡音，缩短了老炮儿与熊良间的距离。老炮儿的睿智令熊良从江湖意义上理解了人世的艰难，而共同的多舛命途，使他们在感慨唏嘘之余，开始进行触及灵魂的交流。

一个月朗星稀的夜晚，老炮儿与熊良背靠牢墙，并排地坐在地上。夜色幽幽，静寂蒸人。沉默良久后，老炮儿先开了腔：

"兄弟，你今年得过三张儿了吧？"

"整三张。"

"处了你几下？"

"20下。"

"我 ×，犯事不轻啊！捅什么雷了？"

"我把一港商俩脚筋给挑了。"

"嘿，那没跑儿，兄弟你这事办得左点儿，咱们国家现在这经济政策是对外开放，引进外资，你把财神爷那俩脚给摘了，那还了得。"

"丫他妈把我媳妇儿给办了，染我一身脏病，这搁您受得了吗？"

"兄弟你还是年轻呀，我活了你俩这么大，这理我比你清，你记住了，多咱都是个人恩怨得让位于国家利益。给你打一比方，你养一大家子人，家里揭不开锅了，老婆孩子一大堆围着你饿得直哭。这时来一人，给你背一口袋米，他就一条件，在你们家炕上睡。你怎么办，你是让老婆孩子吃饱了，还是大嘴巴给丫扇出去？"

"……"

"你肯定是给丫扇出去，所以你就蹲这儿来了。我知你撮火，我也撮火，可人这一辈子，不是老有顺心丸吃。这就跟下棋似的，人这儿牵着你一大车，你非要保车，那边人一马后炮儿都给你老将瞄好了。该舍车，就得舍，没准儿最后你老卒子给丫拱死了。你得知道你为什么，你得赢。搁人这辈子上说，你得活着，好好活着。你说你把你自个儿搁这儿20年，值得吗？三张儿，多火的年纪，20年后再出去，50岁老头子了，看什么景儿都像坟头儿了。你别瞅我，我肯定是死在这里了，可我火过呀。我敢说这辈子，稀的干的我撮一路了。让我麻利儿嗝儿屁都齐了。我没什么可盼的了，这辈子怎么回事我知道了。你不成啊，你知道你这辈子阳寿多少年吗？今后你还能碰上什么景儿啊？我告诉你兄弟，人这辈子其实就是猜一道谜，到死那天儿，恍然大悟，噢，我这辈子原来这么回事。常理下，谁也预测不了自己个儿未来多少年会干什么。可也有例外，就是像你我这号的，呱唧一下，铆你20下，得，20年内你甭想别的了。这就跟你看小说似的，你刚看一头儿，来了一讨厌鬼，告诉你一段中间的情节，这书你还怎么看。跳过去看吧，接不上，连着看吧，硬着头皮。"

"这都是命中注定。"熊良冷冷地插上一句。

"对，是命，可你也得争啊，你也得选择啊。美国一作家海明威说过一句话：'人不是生来要被打败的。'你有这20年去奔点什么多好。人这一生多短啊，你把你这条命搁什么地方那就是不一样。我年轻跑业务时到过湖南邵东的牛马司煤矿。工人几乎都是来自五湖四海的盲流。谁来了下井就能干活，不想干了拍屁股走人，完全就是跑江湖糊口那套。那生产条件挺危险，每天下井的人都跟赌命似的，我去那两天还赶上一起葬礼，死的人没准都叫不出名来。还一回在广州火车站，我赶车前，下了一场雷阵雨，雨停了，我在广场上一栅栏边见一女尸，脸惨白，看不出年纪有多大，脑袋就枕在一水洼里，浑身精透。有好心的给找俩破席子盖上了，我当时就看着那尸体，看了老半天。就那么一极生动的死亡摆在你面前，生命结束的形式就那么简单。我当时就想，她爹妈生她的时候，大概也得高兴得激动一阵儿吧？为她许了挺多愿，想象她有朝一日会富贵，他们能想象得到，他们这女儿的命运从那天儿开始就已注定了这么多年后会暴尸街头吗？当时车站上人很多，行色匆匆，没人往那死尸上看。天空上，从白云机场起降的飞机一会儿一趟，世界没有因为她的死亡而失彩。我立马儿产生了一种人生的苍茫感。于这个世界，她是没有机会了。我还活着，我得去奔哪！"

熊良的心猛地抽搐了一下。他那多日来压抑在心底已久的对自由的渴望被猛地点燃了，他目光炯炯地盯着老炮儿："我想出去！"

老炮儿凝望了他许久，肯定地说道："我想你也该出去！"

"你能告诉我怎么才能出去吗？"

"办法是有，不过你得拿命去赌。"

"越狱？"

"不，那太愚蠢。你出去以后不是还想好好生活吗，被人四处追捕，还不如在这儿待着呢。"

"那怎么办？"

"要让政府心甘情愿地把你送出去。"

"除非是我的尸体。"

"比这要好点儿。"

"自残？！"

"对。只能走保外就医的路。"

接着，老炮儿向熊良介绍了一些监狱中某些犯人为获得自由而采取的自残行为。诸如抱爪，这是较简单的一种，即把大拇指握在手心里攥紧，一刻都不能松。为做到这一点，甚至不能睡觉，直到拇指在手心里开始腐烂为止。还有装瘫，这招儿最难，即双腿盘坐，声称双腿已瘫，没有知觉。狱方为验真假，通常使用电击手段，如是假瘫，双腿经过电击会高高弹起，证实神经没问题，但也有个别犯人以超人般的毅力抗过了电击。另外还有将滚烫的开水往大腿上浇，造成高度烫伤，皮肤坏死，肌肉萎缩，神经麻痹，装疯，等等。

"你必须采取一种新的方法。"老炮儿对熊良说，"如采取与别人雷同的方法，会被识破。你可以让他们知道你得了盲肠炎。做到这点并不难，你只要知道你的盲肠在哪儿就行；难的是下一步，开刀后，伤口会愈合，你必须得在每次伤口愈合前将伤口再扒开，直至让医生认为你的问题很严重为止。"

"那我得扒多少次，他们才能'满意'呢？"

"不知道，那要看医生的心肠有多硬。"

"要是他们跟我一直拖下去呢？"

"会拖过 20 年吗？"

凶狼狠狠地咬了咬牙……

就在凶狼在伤口剧烈的灼痛中做着顽强挣扎的同时，他的命运已开始被一个人奇迹般地扭转了。

熊良的入狱，令潮龙既失望又无奈。20 年，在这期间意味着潮龙在遇到许多棘手的事件时，将得不到凶狼那强有力的帮助。他费了很大力气才建立起来的这种友谊，竟随着那该死的伤害案件而付之东流了。当然他还可以再去寻觅新的感情投注，但他总是难以割舍这近乎兄弟般的情谊。凶狼的性格及行为方式，都与潮龙心目中那强悍力量的属性那么吻合，他已从内心深处诚挚地接受了这个奇特的伙伴。不！他绝不能失去他！他一定要设法使他获得自由。经过深思熟虑，一个营救凶狼的计划，在他心目中形成了。

在北京后盾律师事务所，潮龙见到了著名的刑事案件诉讼律师李大维。

他的声望使他的案头堆满了形形色色的请求代理的案件。潮龙向他表达了愿望。但第一次会谈以失望告终。很快,酷爱集邮的李律师,惊喜地得到了一版1980年发行的猴年生肖票,随即,他几乎毫不犹豫地接受了"熊良涉外伤害案"的代理。

潮龙与李律师对案件进行了严密的分析。他们终于找到了突破的缺口,经过细致而周详的研究,潮龙采取了一揽子行动。

他首先找到了周黎艳,这可怜的女人正沉浸在一系列不幸事件的惊恐中,潮龙在向她表达了同情之后,严肃地向她指出了她的责任。无论从良心还是从道义,她都应为获得熊良的出狱做出努力。他开始试图让她接受遭到那港商暴力强奸的"事实"。她同意了。为了使这看上去像是真的,潮龙找到周冰洁,设法搞到了一张诊断证明。诊断书上明确无误地写着该病人遭到恶性性侵犯后,而引发的一系列严重妇科病症状。诊断书上的日期与案发日期配合得天衣无缝。

紧接着,潮龙在很短的时间里找到了十个喇。这些喇们奇怪地被告知,她们将为即将成交的生意付出的不是肉体的代价,而是谎言。她们生平第一次意识到,她们用嘴挣到的钱绝不逊色于她们的那个部位,而唯一的技术细节,就是需要她们调动一下日常工作中的一些积累。

一切准备工作就绪,法院接受了上诉开始复审。

在法庭上,李律师用他那准确而又生动的措词向检察官们揭示了此案的一些触目惊心的"幕后真相"。当公诉方律师向周黎艳质询为何第一次做"伪证"时,她伤心地承认,20年重刑给她丈夫及家庭带来的深刻不幸的后果,彻底摧毁了她愚蠢的虚荣。紧接着,李律师出示了妇科诊断证明,令公诉方律师一时语塞。随后,围绕着被害港商的品行,李律师展开了他那极富想象力的陈述。十个喇前后出庭做证,在她们的描述中,诸多嫖客的丑恶嘴脸,全部汇集到了那倒霉港商一人身上。李律师为了考证一些细节而发出的令人难堪的追问,使她们中的某些人甚至当庭声泪俱下。她们出色的表现,令潮龙深受感动,他甚至觉得,她们更适合于在摄影机前表演,而不是在床上。

一幕幕惨烈的现实场景，深深地震撼了检察官们的良知，公诉方律师用沉默表达了他人性的善良。

法庭判决，"不法港商强奸案"成立，原案被告熊良因报复防卫过度而致伤害他人，改判三年有期徒刑，因其在接受盲肠切除手术后，伤口严重感染，特准其保外就医。

············

强壮无比的熊良，跪在了潮龙的脚下，他生平第一次流下了热泪。

在从乌鲁木齐返航北京的飞机上，潮龙微笑着握住了熊良的手："欢迎你重返人间。"

熊良默然无语，良久，恶狠狠地说："回去以后，我先把那小婊子给收拾了。"

"哎，良子，你现在可没出刑期呢，你想让我再给你找个律师吗？再说了，嫂子再有错，这回没她协助，你也出不来。她那么说，是需要很大勇气的，她对你还是很有感情的。"

"感情？哼！她那么做是有感情？"

"良子，你想过没有，归根结底都是你的错，我们做男人的错。"

"我被害这么惨，我倒有错了？"

"你先别急，我问你个问题，你最喜欢吃什么菜？"

"猪肉炖粉条。"

"好，比方说现在，你饥肠辘辘，就想吃猪肉炖粉条，你进了一家馆子，问老板有没有这菜，老板对你说，没有猪肉炖粉条，有别的，你怎么办？"

"那不挺简单吗？找一家有的馆子呗。"

"很对，女人对于虚荣的渴望就是你此时的心理，在这点上，人性的自私与满足欲，使人们很难驾驭理智。如果从丈夫这里得不到满足，女人们就会情不自禁地移情……"

"……×他妈的！全都是因为臭钱！"

潮龙微笑不语。他非常欣慰于熊良对于金钱的理解，有了一个升华。

凶狼的名字很快在商界中有了影响，他的财富也随着他一次次匡扶正义的举动而直线上升。"良民酒家"变成了"良民酒楼"。但他永远恪守一个原则，那就是他的主顾，必须是一个受害者。他的暴力举措必须得师出有名，强取豪夺的事，他是不干的。肚皮上那块切除盲肠后留下的疤痕时时提醒着他，用自残行为去同自由做交易的事，他绝对不想再干了。他从潮龙那里学会的狡猾与谨慎，使得他每一次计划都布置得很周密。渐渐地，他已无须亲自出马，他的绰号——凶狼，就是解决纠纷的最好建议。

有一次，潮龙手下的一个年轻业务员在同一家公司签合同时，由于缺乏经验，其中一项条款被对方占了便宜。潮龙看到后，给对方打了个电话，希望更改那项条款，但遭到对方拒绝。潮龙放下电话，带着那份合同亲自找到了那家公司的负责人。在他返回的时候，他已如愿以偿。在向熊良谈起这件事时，两人都认为这是件很有趣的事情。

"你知道吗？良子，我只对他说了一句话，便得到了一份新的合同。"

"你说的什么？"

"我说'凶狼先生想与您建立友谊'。"

"我想他一定给了你一个喜剧反应。"

"是的，我是在一个高尔夫球场见到他的。那天的天气非常好，一丝风都没有，但我注意到，他的裤子在不停地抖动。"

孟飞越发自信地感到自己没有看错人，早在当年的拳击场上，他就能体察到那从潮龙的灵魂中渗透出来的精明与倔强，这使得他在前进的征途中所面临的一切艰难险阻，都在他那充沛的激情与干劲的锋头前土崩瓦解。尤其是那笔20万元死款的意外回归，尽管他并不知道令那个叫郑林藻的老家伙良心发现的真相，但他已能意识到，在潮龙身上，已具备了一种异乎寻常的捍卫自己生存权益的能力。这使孟飞开始考虑，将摆在面前的一件棘手生意，交由潮龙前去摆平。

"潮龙，公司里有桩生意出现了麻烦，我想请你出马帮忙解决。"孟飞开门见山。

"你说吧。"潮龙与楼刚在沙发上坐下。

"工艺品部的汪海涛最近在河南郑州的中州工艺品进出口公司接了一外贸出口单子，求购一批中国名贵瓷器。海涛几经周折，在房山县良乡的古源仿古瓷厂落实了货源。恰好该厂有一批因外贸出口手续不完备而被截留的现货，其中有名贵的均瓷祭红大瓶，以及景泰兰雕丝镶嵌烤漆中瓶。他马上把产品照片、规格及我方报价带到了郑州，对方非常满意，当天就签订了订货合同。之后，郑州人热情地宴请海涛，在酒宴上，海涛被他们灌得酩酊大醉，随后，又被他们热情挽留玩了两天，等到回到良乡，准备同古源厂签订正式供货合同时，古源厂却突然变卦了，说他们已经找到了买主，怎么追问都不说，后来海涛在厂长办公桌上发现了一盒喜梅牌香烟，河南人最爱抽的。"

"把海涛给择出来了。"楼刚插了一句。

"对，海涛愤怒地跑到中州公司，结果他在那儿看到了不应该看到的人。"

"是古源厂的人。"潮龙接道。

"对，海涛一下翻了，跟中州公司的人争执起来，后来升级发生了殴斗，他们的一位业务经理被打成了左耳穿孔。海涛已被郑州公安局拘留了。现在中州公司与我们的关系非常紧张，为了报复，他们已经暗示我们，到期如不履行合同，将对簿公堂。"

"可我们现在已没有能力履行合同了。"楼刚说。

"是的。"

"海涛要不贪杯，我们应该挣多少？"潮龙问。

"50万。"

"我们没跟古源厂签合同，这点就不好办了。"楼刚叹着。

潮龙沉思良久，抬头问孟飞："老孟，你想要什么结果？"

"我想让你去趟郑州，调停此事，打消中州公司的法律念头，再把海涛接回来。"

潮龙目光直直地盯视着孟飞:"我认为郑州人说得对,我们应当履行合同。"

孟飞连连摇头:"这不可能,潮龙。一来合同期限很短,二来我们根本不可能再有时间和渠道搞到这种名贵瓷器。"

"你没明白我的意思。老孟,他们这么做太不局气了,他们应该感到羞耻并幡然醒悟。"

"这不太现实。"

"你放心吧!老孟,我会带着一张汇票和他们的歉意来见你的。"潮龙语气坚定。

孟飞和楼刚都疑惑地望着潮龙。

潮龙继续言道:"这批货现在发了没有?"

孟飞说:"据我们的业务探知,他们厂里这两天正准备装箱上站。"

"这么说是走火车托运喽?"

"对。"

潮龙想了想:"老孟,你能否以最快的速度给我找两包雷管?"

"干吗,你想把货炸了呀?"楼刚惊问。

潮龙一笑:"我没那么蠢,我还得指着这批货给咱们挣50万呢。"

"那你想干什么?"孟飞也很疑虑。

"你只管给我找吧,我不会干危险事的,能不能快点找到?"

"没问题,武装部咱们有人。"

潮龙和楼刚很快出现在了古源仿古瓷厂里。一位车间主任迎了上来。

"你们哪儿的呀?找谁呀?"

潮龙操着蹩脚的河南口音说着:"俺俩个是从河南来的。俺们是中州公司的业务员,本来是来京跑业务的,今儿上午接了一个公司来的长途,说这两天你们厂要给我们发货了。俺的经理要我们来查看一下包装是否安全。挺贵重的玩意儿,别半道瓶了。厂长在吗?"

那车间主任一下热情了起来："噢，好，好，你们尽管放心吧，我们每年都有出口任务，老做包装，这点我们懂。我们厂长上午就坐车去郑州你们那儿了。既然你们来了，那我就带你们去库房看看吧。今儿就能装好，明儿就上站了。"

"噢，从哪个站发货呀？"楼刚的河南味比潮龙强点儿。

"北京站。"车间主任愉快地答着。

他们来到了库房里，见正有五个工人小心翼翼地将一个大祭红瓶装入一个铺满了松软棉垫的大箱子里，旁边已装好了好些大箱小箱的。潮龙与楼刚互相交换了一个眼色。潮龙随即热情地把那五个工人招呼了过来，掏出一盒万宝路，给大家分发着。一时大家聚拢在一起，热情地寒暄着。楼刚此时则装作很仔细的样子，走到几个大大小小的箱子前，掀开盖，东摸摸，西按按，然后满意地走了回来，冲潮龙点了下头。此时，潮龙又赶紧向工人们道了许多辛苦，留下那盒烟，向车间主任道了别，走了出来。

走出厂门，潮龙忙问："放好了吗？"

楼刚肯定地说："你放心吧，我全给杵瓶胆里了。"

"行，第一步成功了，就是他妈这厂长已经颠了，咱还得去郑州说服他。这样楼刚，你马上去买六张明天下午以后的去郑州的火车票，我再去忙点别的事，晚上在你家碰头，咱再商量一下。"

"干吗买六张啊？"

"这回我们得牵着狼去。"

"噢。"楼刚恍然大悟的样子。

两人分手后，潮龙给熊良打了电话。

"潮龙啊，我这儿刚进了一批王八，晚上过来补补呀？"熊良兴高采烈地说着。

"良子，老吃王八你也不腻呀，留神鬼剃头，我给你换个口味吧。"

"快说，什么？"

"咱到河南去吃正经的黄河鲤鱼，怎么样？然后去少林寺转转。"

"怎么了，是不是嗅一河南蜜，给你喷晕了？"

"到那儿没准还真有戏呢，你准备一下，明儿不是下午就是晚上，咱就动身。"

"碰上麻烦事了吧？"熊良意识到了。

"对，郑州一公司跟我们装丫的，把我们从一买卖儿里给择出来了，还使法律对付我们。我们去那儿就是要让他们明白，这买卖儿没我们，他们做不成，另外我还要给他们公司的头脑儿上一堂合同法的课程。"

"那用我备什么课吗？"

"什么也不用，你就是陪我玩去了，见着他们热情点，跟他们聊聊人生以及做人的道理什么的，要让他们感到一种慈父般的关怀。要是他们不乖，你就稍微扮扮鬼脸逗逗他们。另外，你再找三个瓷器，要跟你一样那么理解生活的。"

"那他们会不会最后把我供起来？"

"算了吧，那儿可是黄泛区。"

潮龙放下电话，想了想，着手去办计划中的最后一件事。

············

第二天上午，古源仿古瓷厂发往郑州的全部货物都被扣在了北京火车站货运处。因为根据群众举报，货运处工作人员在货物中发现了铁路违禁品——烈性雷管。

随后，货运处的领导又接到了一个莫名其妙的来自"公安部"的电话，他被告知，这批货物涉嫌一起文物走私案，现正处在张网捕鱼阶段，望能配合冻结货物封锁消息，以免打草惊蛇。

于是，那批货便安静地躺在那儿了。

潮龙、楼刚、熊良、二键、老驴、毒刺，一行六人住进了河南日报招待所。

潮龙抄起客房里的电话，以古源厂北京长途的名义拨通了中州公司的电话。他首先向秘书小姐传达了货物已安然发出，随即询问厂长曾跃庆有何指示。小姐说曾厂长此时不在公司里，可把电话打到他的下榻处——河南饭店2014房。

潮龙嘱咐楼刚陪几条狼在郑州玩一天，自己则走出招待所，叫了辆的士，向河南饭店驶去。

开门的是个40多岁的中年农民，憨直的神情中带着一种狡猾。

"您是曾跃庆先生吧？"潮龙嘲讽地谦恭着。

"啊？是我，你是？"

"我叫肖潮龙，是盛世集团公司的，汪海涛的同事。"潮龙说着，也不客气，坐在了沙发上。

曾跃庆有些木讷地站在客房中间。

"你找我有什么事？"

"曾先生，海涛对我说，我们公司与贵厂签过一个供货协议。我今天来，就是来跟您签一份正式合同的，具有法律效力的！"潮龙把最后一句话咬得很重。

"嘿嘿，"曾跃庆干笑了两声，"那份协议早作废了，货也易主了，我们还签什么合同？"

"这话早点儿吧？老曾，现在中州公司不是还没收到货吗？我这儿有一份我们公司与中州公司的贸易合同。货是由我提供给他们，你只能把货交给我，明白吗？"潮龙的话里已开始带出戗茬。

"你们签什么合同，我不管，我这儿就一份有效合同，是跟中州公司签的。"

"不错，你很诚实，老曾，不愧是土坷子里拱出来的。"

"你，你说话注意点儿！"曾跃庆气愤了。

"哈……"潮龙仰天大笑，随即一下转成郑重，语重心长地说道，"老曾啊，虽说你是房山人，可也算咱北京地界儿啊。常言道，老乡望老乡，两眼泪汪汪。你就干让人家外省人拆咱亲哥们儿的台，还帮人敲锣呀。海涛因为你不局气，现在还跟郑州局子里蹲着呢！即使如此，我还是能原谅你，我做人奉行原则，以德报怨。我也不指望你投桃报李，只希望你拿出做人最根本的良心来。

要没有海涛，你这批货现在还烂在库里呢，你怎么跟那中山狼似的呀？"

"你，你太过分了。你给我出去！"曾跃庆气得脸儿都白了。

"曾先生！"潮龙的脸上显出无比的威严，"竖起你的俩耳朵给我好好听着，我大老远从北京跑这儿来，不是来逗你玩儿的，我是带着无比的诚意，想最后一次挽救你的良知。要是你让我万分失望地从这间屋子里走出去，我敢用我的脑袋向你发誓，你那堆烂瓷器连个渣儿都别想落在中州公司手里！"

曾跃庆被潮龙的神情和语气吓愣了。

潮龙鄙夷地瞟了他一眼，自顾自地从随身带的公文包中取出一份合同纸，在桌几上铺好，把笔也备好，随即对仍愣在那儿的曾跃庆说："来吧，我们先签合同，你要没带公章，先签上你的大名，回去以后，想补再补一章。"

曾跃庆一下缓过神来，连忙说："你先甭忙，你说说清楚，你刚才那话什么意思，我要不跟你签合同，我这买卖还做不成了？"

潮龙斜着眼看着他，阴阳怪气地说："看来你求知欲还挺强啊！好吧，我就给你说说。哎来，来，你坐下。"曾跃庆缓缓地坐在了潮龙对面的床沿上。

潮龙很舒适地往沙发背上一靠，跷起了二郎腿，一字一句地郑重言道："为了能确保你今天跟我签这份合同，我为我郑州之行额外增加了一些内容。比方说，我已经邀请了一些对暴力有着深刻理解的朋友，在咱北京，管这号人叫底儿潮的朋友。他们没户口，没工作，对于合法挣钱，似乎感到很不耐烦。我了解他们，知道他们需要什么，并且根据他们的需要，开具了账单，而这账单上的内容，就是你那批可爱的瓷器。"

曾跃庆的鼻尖上，一层细密的小汗珠肆无忌惮地制造着主人的紧张，目光呆滞得让潮龙觉着他已经醒着休克过去了。

潮龙扬了扬下巴，继续说："据我所知，在这批珍贵的货物里，有六只均瓷祭红大瓶，听说烧这六只瓶得用一年多哪！可让它们变成碎片，好像也就几秒钟吧！如此轻微的劳动量，以至于让我的朋友们感到拿那样的高酬是对他们体力的污辱。他们甚至问我，要不要捎上你这条老命，以使他们拿到钱时更心安理得一点儿。我说，还是让我先同对方恳谈一次再做决定吧。"潮龙说到这儿，忽觉口渴，他望见两步远的桌子上有暖壶和茶杯，便起身去倒水。

"啊，你去哪儿？"曾跃庆那带着肝颤的声音把潮龙吓了一大跳。随即他微微一笑，拍了拍曾跃庆的肩膀："放心吧，曾先生，不签完这份合同，我是不会走的。"喝完了水，潮龙回到沙发上，略微凝视了一下曾跃庆，注意到他此时的身体，已开始过电流了。他对于曾跃庆对恐惧的想象力深感满意。到此时，潮龙认为是甩出最后一张王牌的时候了。

"曾先生，或许你认为我对于我那些朋友的描述有夸大之处。为此，我为你准备了一份我那些朋友过去的一些作业，请你过目。"潮龙说着，从公文包里取出一个信封，从中取出一沓照片，递到曾跃庆手里。

曾跃庆低头刚看了第一张，就吓得一闭眼，那上面是一条断腿。他继续翻着，他的手已抖得不成样子，才看了一半儿，照片就掉了一地，那上面不是人耳、断手、人体躯干，就是心、肝、肺。突然，他从那散乱的照片中看到了一颗血淋淋的人头。

"啊……肖先生，我签，我签，在哪儿签？这买卖我绝对给你做了，×他大爷我再出卖你！"曾跃庆一下跪在了潮龙面前，抓住潮龙的手不放。

潮龙眯缝着眼盯着他，冷冷地说："曾先生，我现在请你为我做这样几件事：第一，签了我们的合同；第二，当着我的面，把你们厂跟中州公司签的那份合同撕碎，我本来是想让你吃下去的；第三，明天跟我去见中州公司总经理姚舜，告诉他，他应该把那张汇票交给谁；第四，我要你配合我以货物为威胁迫使他们立即设法让海涛出监；第五，也是最后一件，我要你把地上的照片给我收拾干净，装到信封里，交给我！"

"成，成，成，我全答应！"

第二天一早瓶六个人来到了河南饭店，在大厅里，潮龙嘱咐着狼群。

"良子，你跟哥儿几个先坐这沙发上歇会儿，我去叫我们的朋友。待会儿一见到他，你们就开始想生气的事，不用搭理他。"

"生气的事？"毒刺疑惑地问着。

"对，比方说想象自己买了一条假万宝路，头一回喝人头马，倒出来的竟是白开水，等等。"潮龙解释着。

四条狼同时莞尔一笑，随即各自按想象中发挥了一下。老驴问："这样行吗？"

潮龙点头："不错。"

潮龙很快地带着曾跃庆来到了大厅里。潮龙指着缓缓地从沙发上站起来的四条狼对曾跃庆说："曾先生，请看，我的朋友们在向您致意呢。"

曾跃庆顺着潮龙的手指一看，心里噔地就一哆嗦，他感到他看到了四团杀气。四个人的脸上无一例外地挂着摇滚乐歌手般的冷峻以及一丝微妙的烦躁。

潮龙明显地感觉到手心下的肩膀在微微地战栗。他浅浅一笑，安慰着他："别担心，曾先生，我的朋友们是不会在我心情好的时候发脾气的，从我今天拿到钱后，他们对你的非分之想，就会自动地消失了。"

"你放心吧，肖先生，我一定会信守我们之间的诺言的。"曾跃庆一脸的诚恳。

潮龙连忙更正："是合同，是具有法律效力的合同。"

姚舜是个40多岁的戴眼镜的中年人。从他那早生的华发与细眯的三角眼中可推断出，他对于大量的阴暗念头的琢磨可谓是煞费苦心。

此时，他一听说是盛世集团公司的人求见，他立刻不耐烦地挥着手："让他们滚蛋，我不见，等着吃官司吧！"

还没等到他屁股在办公桌后的皮椅上坐稳，他已见到六个立体感极强的愤怒，伴着秘书小姐的尖叫卷了进来。曾跃庆在后面悻悻地跟着。姚舜勃然大怒，大叫一声，立即从不知何处跑来两个保安员，手里提着电棒。姚舜高喝一声："把他们给我轰出去！"

两个保安哪里是久经暴力洗礼的四条凶狼的对手，在他们的电棒被依次移交到潮龙与楼刚手里之后，他们便发现，他们已像孩子之于父亲一样，被痛苦地架在了凶狼与二键的臂弯里。

凶狼那本来就极薄的嘴唇，此时全部抿到了嘴里。他恶狠狠地用一种屋中所有人都能听得见的声音，对着眼前的一张因痛苦已变得扭曲的脸说道："朋友，我认为你正在设法激怒我，要是你今晚上不想在医院过夜的话，我劝你们马上从我的视野里消失！"

潮龙随即跨前一步，用手中的电棒指着姚舜，正色道："姚先生，我真诚地奉劝你最好让你的两个部下照我朋友说的去做，否则的话，我发誓，你将会见到他们母亲的泪脸！"

曾跃庆总算见到了真实的恐惧，他又筛上糠了，吓得一句话也说不上来。

姚舜显然也被这始料不及的局面弄蒙了，他犹豫了一下，随即摆了摆手。两名保安在地面上站稳以后，从潮龙及楼刚手里接过电棒，其中一个，大概腕子被扭断了，竟没接住，狼狈地从地上捡起来后，鼠窜而去。

潮龙示意门口的老驴将门关严，老驴关上门后，就势靠在了门板上。看来此时，谁要是想从此门进出，得先跟他客气地商量一下。

屋内的气氛此时是既和缓又紧张。除了姚舜，就是七名访客了。除了老驴，其他人都坐在了沙发里，潮龙掏出烟每人都给发了一根，扔到姚舜桌上，姚舜鄙夷地看了一眼，动都没动。

潮龙的语气变得亲切了起来："姚先生，我们今天来，是想领我们那笔货款的。"

"哼，哼，"姚舜冷笑了两声，"怎么盛世公司的人不是疯子就是白痴，大白天说什么梦话？"

"哈哈……"潮龙一阵狂笑，随即拉下脸来，斜眼瞟着曾跃庆，"嗯？"

曾跃庆赶忙递话儿："姚……姚经理，真是对不起……"

"嗯？"潮龙依然斜着眼怒视了他一下。曾跃庆马上意识到自己失言，忙改口："姚经理，我们厂已决定履行对盛世公司的供货承诺，您还是把那笔款结给肖先生吧。"

"你说什么？"姚舜一下从椅子上跳了起来，"曾厂长，我们可是签了合同的！"

潮龙接话："曾先生已当着我的面，撕碎了你们之间的合同，同时与我签订了一份本来早该签就的具有法律效力的合同。"

姚舜怒视曾跃庆："你疯了！你怎么能这样做？"

曾跃庆此时苦不堪言。

潮龙脸上浮着傲慢的微笑："姚先生，还是面对现实吧，你不是一直逼我们公司要履行合同吗？我准备同你玉成此事。"

姚舜不耐烦地盯着潮龙："你是谁？口气这么狂妄！"

"我叫肖潮龙，是继汪海涛之后，承继这桩生意的全权代表。你给我们公司开的汇票，将由我的手带回北京！"

"哼，别妄想了。说不定，那批货已经进了郑州站了。货物的标签上，明确无误地写着我们公司的收货单位。我只要凭着我们与曾厂长签的那份合同，和我的公安战友开具的介绍信就能将货提到手。你总不能到站上跟我明抢吧？别忘了，这是在郑州，我的家门口！"姚舜说完这些，显得得意非凡。

"哈哈……"潮龙笑弯了腰。他转头对楼刚及众人说："哎呀，我真没想到，这位姚先生的智商低得连小孩子都不如，不行，楼刚，我要岔气了，还是你跟他讲吧。"

楼刚不阴不阳地说："姚 sir，你以为我们会那么蠢，大老远儿从北京跑这儿来，就为了跟你抢嘴里的肉呀。我明着告诉你吧，当你的筷子夹着那块肉刚离开碗边，还没往嘴里送的时候，呱一下——"楼刚说着滑稽地望着潮龙。

潮龙也扮着小丑般的怪脸问道："发生了什么事情？"

"掉地上了。"

"弄脏了？"

"得用水去洗洗。"

"谁去洗？"

"我们啊！"

"哈哈哈……"两人狂笑不止，四条狼也被他们风趣的表演逗得忍俊不禁。

姚舜脸都气白了，浑身直哆嗦，

"你们，你们把那批货怎么样了？"

潮龙笑着说："正如你在郑州家门口感到自信一样，我在我的北京老家，有着比你更甚的自信。我的公安部的朋友，已让北京火车站冻结了那批货物，因为他们惊奇地发现：这批贵重的瓷器，涉嫌一起严重倒卖国家文物活动。至于破案日期，他们听我的！"

姚舜一下瘫倒在了皮椅上，大汗如注。

潮龙决定，给那已疲如烂泥的顽固，再施以一记重击。"姚先生，我听说这批货物，你们已与外商签订了合同并收取了巨额订金。如果粉脸们得不到这批瓷器，据我所知，"潮龙说着面向其他所有人，"国际经济纠纷仲裁委员会对于国际贸易间的违约行为，是严惩不贷的！罚金好像都是国际流通的硬通货币。他们对人民币似乎不太感兴趣。"六人同盟一起大笑！

姚舜突然疯了似的又跳了起来，指着曾跃庆破口大骂："都是你这个废物！成事不足，败事有余的东西！"

曾跃庆羞臊得低着头，一声不吭。

潮龙被姚舜的言行激怒了，他迅速地瞟了一眼凶狼。凶狼心领神会，他起身绕过办公桌，跨坐在了与姚舜近在咫尺的桌面上。凶狼拍着姚舜的后脑勺，用一种慈祥的长辈式的语气，缓缓地说道："姚先生，曾先生是我的好朋友，你这样对待他，太不给我面子了吧？常言道，打狗还得看主人呢，更何况，曾先生是这么一位良心发现的道德楷模。"凶狼说着从兜里掏出一把弹簧刀，叭的一声，在姚舜的眼前弹出了刀尖。

"你干吗？！"姚舜带着哭腔问了一句。

凶狼以让潮龙都感到惊愕的亲切，堆出一副笑脸，轻柔地说："姚先生，曾先生有什么不周的地方，您多担待着点儿。今儿我代曾先生给您赔罪了。"

说着，凶狼将刀尖抵在了自己的大腿面上，往下一按。忽地一下，一股股红的鲜血顺着刀锋流了出来。凶狼依旧笑容满面，略微颔首注视着姚舜。

姚舜彻底崩溃了，他急急忙忙地说：

"别，别，求你别这样，我全照你们说的做，只要把那批货完好无损地交给我，我任何条件都答应。"

血仍旧流着，凶狼平静地说："那好，你什么时候把汇票交到肖先生手里，我就什么时候，在你面前把这刀尖拔出来。"

潮龙忙上前劝道："得了，良子，办汇票没那么快。我可不想让你把宝贵的血流在这脏地方，丫有这心就行了，反正就一上午的事。"说着严厉地怒视着姚舜，命令道，"还不马上叫你的秘书拿绷带来！"

姚舜顺从地照办了。

潮龙威严地站在他的战俘面前，语调坚定地向他宣布受降条件。

"你听着，我下面所说的条件，你有一条做不到，我就让我的公安部朋友，将那批货作为赃物收缴国库！"

"别，别，千万别，你说什么我都答应！"

"好，首先，我要你马上打电话给你的有关朋友，叫他们立即释放我的同事汪海涛，退还他一切没收物品。我要在这儿亲自听到他对我说获得自由的消息后再谈下面的条件！"

潮龙很快就听到了汪海涛兴奋的声音。

"潮龙，是你吗？！"

"海涛，你没事吧？"

"没事，没事，我一猜准是你。孟飞派不出第二个人来办出这么漂亮的事。好样的，潮龙，真给咱北京人壮面儿！"

"海涛，你现在身上的钱够回北京的吗？"

"够，足够，去趟海南都富余。"

"嗐，没必要那么远。你现在听我说，海涛，我要你立即，马上，以最快的速度返回北京，你妈已经来公司哭好几回了。"

"哎，行，我马上走，咱北京见！"海涛的声音里带出了哭腔。

"北京见！一路顺风！"潮龙挂断了电话。

潮龙转过身来，继续面对姚舜。

"很好，姚先生，我已经看到了你的诚意。我们继续谈，这桩生意，我们应当挣50万。现在既然客、供、中间商都在这里，我索性开诚布公：货款这块儿，我就要我们那50万利润，至于你同曾厂长之间的利益，你们自己去协调，跟我没关系。但这50万，少一分都不成！"

"成，成，没问题。"姚舜连连点头。

"再有，我为你把这批货在北京站存了这么几天，不能让我掏存放费吧？我看这样，每天按1000元钱算，到现在三天，你付我3000元钱，有问题吗？"

"没有，没有。"

"好，另外，我答应过我这几位朋友，请他们来河南吃黄河鲤鱼，并去少林寺转转。他们都很忙，为了你们这帮卑鄙的杂种，他们于百忙之中抽出宝贵的时间来听你刚才胡逼淡扯；我们原本不用这样兴师动众的，简直是他妈的劳民伤财，这账你必须得给报销，并且这部分用现金支付。这笔账这么算：我们每人每天1000元钱的消费标准，在这儿已待了两天，还得去少林寺玩三天。一天总计6000元，五天一共是三万。待会儿连同汇票上那50.3万一块儿交给我。你要敢说一个'不'字，我现在扭头就走。"

"我全答应，还有什么条件？"

"没了，你马上让出纳着手去办，钱到手后，我给北京通长途，解冻那批货。"

半小时后，四条狼领到了他们各自的报酬。他们无比心悦诚服地望着这个充满了智慧头脑的款爷，心中涌起由衷的敬佩。

潮龙拨通了孟飞的电话："老孟，记得临走前我曾答应你两件事吗？汇票我已拿到手了，现在请你接受第二件。"潮龙说完，将话筒塞到姚舜嘴边，命令着："向我们公司老总道歉。"

"……孟经理，我很抱歉……"

潮龙一把将电话又抓回了耳边。

"老孟，你还满意吗？"

"潮龙！你是我们盛世的骄傲！怎么出现奇迹的？"

"回去再谈吧，老孟，现在应该轮到我们履行承诺了。我请你马上转告我们公安部的朋友，让他们给北京站货运处下命令，立即解冻古源仿古瓷厂发往郑州中州公司的那批贵重瓷器，因为它是国家外贸出口一级重点物资！"

姚舜都快气晕了！

潮龙的声音继续有力地响着："老孟，我要你给我们充满诚意的客户一个有力的答复。"潮龙说完，再次把听筒塞到姚舜耳边。

姚舜从听筒里听到了孟飞豪迈的腔调。

"没问题！绝对没问题！"

潮龙转身刚欲走，听到姚舜急促而又有些无力的要求："肖先生，你先等等。"

潮龙转身："还有什么不妥吗？"

姚舜一脸的苦衷："你们拿了钱就这么走了，万一我收不到货，怎么办？"

潮龙正色道："别忘了，姚先生，我们是签了合同的，是受法律约束的！我肖潮龙是一位遵纪守法的合法商人。我对神圣的法律，无比地尊重！"

在去少林寺的路上，楼刚与四条狼都有些不解地询问潮龙如何使那个曾厂长，一下午之间，就变得如此良心发现。尤其是四条狼，他们更是对于在没有他们参与的情况下，潮龙居然能在那家伙心中树立如此至上的权威，深感不解。

潮龙经不住凶狼反复盘问，只得解释："我把你们的身世向他做了介绍。然后我对他说，我与你们是生死相交的朋友。最后，我给他看了这些照片。"潮龙说着掏出那个信封。

五个头全都聚拢在一起看了起来。

　　凶狼略微皱了下眉，疑惑地问："我说潮龙，你从哪儿搞到的这些照片？"

　　潮龙莞尔一笑："这非常容易，如果你让一家医院生理解剖室的见习医生，一次性地得到他半年工资的总和，那么你也能搞到。"

　　这就是潮龙离京前计划中所做的最后一件事。

第七章

一

飞龙在天

在孟飞的办公室中，孟飞向潮龙宣布了一项重要的公司决定。

"潮龙，在刚刚结束的公司董事会议上，做出了一些重要决定，主要是对我们集团公司的各部门进行一次调整，其中由于地产业部发展迅猛，业务成绩斐然，已具有相当实力，所以董事会决定，将这个部门单辟出去，成立一个独立核算的专营地产业的公司，定名为盛世地产投资服务有限公司。独立后的这个公司，虽然关系上仍隶属集团公司，但在业务经营上，完全独立自主。集团里只划拨给 2000 万元的注册资金。今后在完成一些重大的投资意向时，需要这家公司自行融资。每年这个地产公司需向集团内部上交 1000 万元的利润。董事会一致决定，任命你为盛世地产投资服务有限公司的全权总裁，楼刚为公司总经理。你们自行选择办公地址，即刻走马上任吧。"

潮龙颇具深意地将自己的公司设在了辉煌大厦的顶层。而他的总裁办公室正是他曾舍身取义的那个房间。

站在窗前，他思潮翻滚，心绪难平。已届而立之年的他，回想起六年前，那惊心动魄的场景，他不禁泪沾胸襟。沧桑隔世，物是人非，昔日那个曾被命运选择以生命作赌注为 8000 元冒险的穷小子，而今已成为拥有巨额资产的公司总裁。贫穷之于他，再也不是如影随形的魔障，而是记忆中那深刻而又遥远的思绪。他也早就永远地告别了那象征着他心灵囹圄的雅宝路小屋，住进了与李殊那间梦幻空间无异的公寓住宅。他拥有的财富使他的思维中再也不会出现饥饿寒冷的无法抵御、失去工作时的恐惧、放弃自尊时的屈辱、一文不名时的悲凉……他还使他的妹妹潮汐进入了美国加州大学艺术系深造。

　　他脑海里又响起了那个激励了他无数次的声音："出去折腾啊！外边有的是钱等着你去挣呢！"他就是听着这个声音，踏进了险恶的商界，付出了多少艰辛，他折腾得好辛苦啊！他将永远感激那个叫牛子的新郎。牛子能想象得到吗？那个曾穿着标志着身份低微的工作服，站在他面前目瞪口呆地感受着财富冲击的厕所清洁工，此时也能像他一样，穿着名贵的西服，驾驭着自己的财富，在别人的尊重中生活。就在那间厕所中，就在嘉伦饭店的那间厕所中，孕育了这多年后变成美好现实的热望。他忽然又想起，还是在那间厕所中，他曾向那个香港经理亨特，许下过字句铿锵的诺言，而现在，是兑现它的时候了！

　　一辆通体散发着贵族气息的皇家版劳斯莱斯幻影缓缓地停在了辉煌大厦的门口。

　　潮龙同楼刚在门卫的服务下，坐进了车厢。潮龙对司机说："请把我们送到嘉伦饭店。"随即按了身边的一个按钮，电子控制的升降玻璃，把两人同司机分隔成了两个世界。

　　楼刚微笑着从兜里掏出一盒香烟，抽出两支。潮龙瞥了他一眼，阻止道："把你那盒烟收起来，抽我这个。"说着从兜里抽出一个精巧包装的礼品式方盒，从中取出两支硕粗的雪茄。

　　"要煽讲过，真正的绅士得抽哈瓦那雪茄。"

"是那个美国联邦储备银行的家伙给你的吧？"楼刚笑问。

潮龙也不作答，却忽然叹了口气："哎，也不知要煽现在怎么样了。"

"上回也不知听谁说过一句，说他傍上了一个美国富婆，双双赴美了。"

潮龙笑了："看来他能圆他的华尔街梦了。"

"没准他现在已经有了美国名字，道格拉斯，斯丢果瑞夫，特尔诺瓦什么的。"

"你说他还会回来吗？"

"难说。"

"我想会的，因为他说过，他喜欢看他妈点钱的样子。"

车厢里沉默了。

劳斯莱斯稳稳地停在了嘉伦饭店的门口，潮龙与楼刚都坐着不动。随即，门被拉开了，各有一只手扶在了车门框上，他们都从自己所在的方向上听到了一个亲切的声音："您好，先生，欢迎光临嘉伦饭店。"

一别六年后，他们终又重新踏进了嘉伦饭店。大厅的部分空间已做了重新装修，使他们多少有点似是而非的遗憾，但那熟悉的地面，大厅里通红的地毯，还有那八根铜柱，一下勾起了潮龙许多刻骨铭心的记忆，仿若昨日重现。他与楼刚意味深长地对视了一眼，并肩向前台走去。

前台的工作人员已换成了新人，潮龙记得，六年前他站在这儿时，总是说，请把咖啡厅的钥匙给我，请把中餐厅的钥匙给我，请把西餐厅的钥匙给我……因为他要进去吸尘、洗地毯。

而今天，他说的是："请把总统间的钥匙给我。"

在总统客房里，两个昔日的打工仔，泪流满面地拥抱在了一起。久久地，久久地……

潮龙对楼刚说："楼刚，你去卫生间里解个手，不要冲。"

楼刚疑惑地问："为什么？"

潮龙奇怪地看了他一眼："什么也别问，待会儿你会明白的。"

楼刚从卫生间出来后，潮龙也走了进去。

走出卫生间，潮龙用电话拨通了客房部。

"你好，我是住总统间的客人。我对你们房间里的卫生设施感到非常气愤，请立即叫你们的客房部经理到我这儿来，就是那个亨特！"

几分钟以后，门口出现了亨特的身影，他还是那个样子。潮龙感到他第一次面对从这张脸上传达出的微笑。潮龙静静地注视了他几秒钟，他发现，亨特已彻底不认识他了，这令潮龙多少有些遗憾。

亨特进了房间，谦恭地问："请问先生，我们哪里服务得不周到？"

潮龙傲慢地缓声说道："我的卫生间的水箱是坏的。你们是怎么搞的，是不是上一个住这儿的家伙，临死前想风流一下？"

"噢，对不起先生，让我看看。"亨特转身进了卫生间，看了一眼马桶。潮龙注意到，那两泡尿并未使他脸上出现吃了苍蝇的神情。亨特用手按了一下水箱上的把手，哗的一声，黄澄澄的尿液一下被冲了下去。

亨特诧异地转过身来，脸上却仍挂着笑："先生，没问题，您大概搞错了。"

"噢，也许吧，那你请回吧，我要休息了。"潮龙腺眉耷眼地说了一句。

亨特走到门口，客气地说了句："您请休息好。"

潮龙拍了拍他的肩膀："放心吧，亨特先生，谢谢你周到的服务。呃，你需要小费吗？"

亨特先是一愣，随即苦笑了一下："噢，不，不。"

潮龙转身回到屋子中央面对楼刚，学着当年的样子，重复着当年的语气："不过我要请你记住我的一句话,总有一天,我会以客人的身份入住你的饭店,并且要让你亲自为我冲尿！"

潮龙建造东方娱乐天堂的计划紧锣密鼓地开始实施了。

他给这个娱乐天堂正式定名为"未来世界"。无论历史发展到了什么时代，它永远是属于未来的。

投资意向申请报告中，潮龙把建造"未来世界"的意义与古代的长城及圆明园、故宫等同了起来。从文化意义上来讲，这座包容了全世界科学智慧精华的艺术奇迹将为世界文明发展史留下一抹亘古永恒的重笔。从商业意义上来讲，于国内，它可以使中国人民一向贫瘠的文化生活中出现一个多彩多姿的绚丽地界，从而弥补了人民大面积的精神空白，它那无与伦比的诱惑，将使经济效益直线上升，并能带动大规模的娱乐业发展起来，这对于增加文化市场的经济效益及国家旅游业的发展水平将起到不可估量的作用。于国外，它将像个巨大的精神磁石一样，吸引全世界各国的旅游者前来参观游览，极有可能使那个大洋彼岸的迪斯尼乐园黯然失色。这将为国家旅游业带来巨额的外汇收入，同时，这一局面的形成还将对中国在国际政治、经济、文化、外交等诸多领域中的地位起到微妙的影响作用。可惜的是，如它能及早建成，将对中国申办 2000 年奥运会起到几乎决定性的作用。在融资方面，征地费用将全部采用国有资金，以掌握"未来世界"的根本所有权，融资形式将通过向全国所有商企业单位发行法人股来筹措。鉴于此点，盛世地产投资服务股份有限公司将取代原公司名称。另外，在整个"未来世界"的整体投资中将 49% 的投资份额留给海外投资者，以确保"未来世界"的国有化；在娱乐形式、内容、设施等方面将向全世界以招商形式募措。

"未来世界"建造计划一经传媒公开，立时轰动了海内外。仅半年时间内法人股登记工作便告完成。虽然这些法人股未经上市，但却影响到了上海、深圳两地股市一路猛涨，连受彭定康政改方案影响直线下跌的香港股市的恒生指数也发生了奇迹般的回弹。海外商业人士对于盛世地产未能发行 B 股股票扼腕叹息，海外投资份额部分也是竞争得不可开交。最后，美国联邦储备银行、世界商业信贷投资银行、香港汇丰银行、英国渣打银行、法兰西第一国家银行等相继投资中标。在世界经济格局处于停滞的状态下，在有着广阔商业市场发展前景的中国，出现这样大的一个投资招标项目，必然成为国际商业投资的目标。

在娱乐形式、内容、设施等的招标上，也出现了白热化的场面。来自世界各国的 500 多家著名娱乐公司纷纷向"未来世界"筹建委员会，淋漓尽致地阐述他们对于"未来世界"设计的娱乐方案及细节产品提供的构想。

很快，一个雏形中的"未来世界"便显露了出来。

"未来世界"将是一个地球形的建筑，经过世界上最著名的 100 多位建筑学家对这一方案进行广泛深入细致的物理性分析，一致认可了这一方案。这个地球直径约两公里，表面由无数块高晶度、高韧度的激光柱形喷彩浮法玻璃拼镶而成，采光折射性能接近 100%。由于它是由当今世界上最先进的超晶体原料制成，所以它能经受任何自然灾害的侵袭，甚至一般性的常规武器也奈何它不得，由于玻璃表面采用了喷彩装饰效果，所以，从飞机上俯瞰"未来世界"，同在月球上观看太阳系中的地球简直毫无二致。

在"未来世界"的内部，浓缩了地球表面上的所有自然景观及人文地理。1000 多部电梯巧妙地将 500 多个各具神态的自然风景厅连接起来。在这些或全封闭或半封闭造型奇特的厅里，最先进的全息立体激光影像将向游客们展示世界各地著名的自然风景。另外还有逼真的世界建筑奇迹的造型，其逼真的视觉感受及亲临感，将令人叹为观止。

在这些风格迥异的厅里，中国人民将有幸无须办护照，便可以畅游世界。这里有万宝路的故乡，美国西部旷野的田园牧场，阿尔卑斯山及富士山的皑皑白雪，美国纽约世界贸易中心，巴黎埃菲尔铁塔，瑞士的圣彼得大教堂，巴黎圣母院，伦敦古老的钟楼，中国的长城及秦俑阵，甚至你还能入驻白宫，登上国会山，像美国总统一样傲视大千。旖旎而又传神的世界风光，更能使人意荡神驰。美国惊险奇观大峡谷，加拿大的尼亚加拉大瀑布，非洲炎热的原野，加勒比海风情，地中海的浪漫午夜，珠穆朗玛峰上的峰巅感受，莱茵河畔的轻舟泛渡，威尼斯水域的浪漫风情，马来西亚、印尼、菲律宾等东南亚国度的热带椰岛风光，西亚阿拉伯世界的麦加朝圣的圣典……

所有这一切美妙逼真的自然景观，全部通过立体传神的全息立体激光影像来体现。

在娱乐游戏上，更能使人感受到身在其中的惊心动魄。戴上一种特殊光学眼罩，置身在一个模拟运动装置上，你便能冲入夏威夷汹涌的海浪。它将让你体验劈波斩浪的豪迈与惊险，等你下来的时候，你会发现，你已浑身湿透，并不是真有浪打在你身上，那是你的汗水。你还能从阿尔卑斯山高斜度的雪坡上以每小时一百公里的速度滑下，脚下的电动模拟装置会使你一次次地绕过障碍杆，体会到世界大回转滑雪比赛运动员胸中的那股澎湃激情。此外还有惊险的赛车场面，你将与模拟中的塞纳及普罗斯特一决雌雄。喜欢空中历险的朋友更不会失望，你将有幸乘坐并驾驶世界上最先进的军用战机以超声速飞行。"未来世界"为你准备了美国 117-A 隐形侦察战斗机、美式 FA-18 大黄蜂式战斗轰炸机、法式幻影 2000 战斗机、英式的 21 世纪三叉戟式攻击机等等。文静的游客可以乘坐美国总统专用座机"空军一号"翱翔于世界领空。豪华游轮将载着游客们巡弋于波托马克河、密西西比河、多瑙河、伏尔加河、尼罗河等等。逼真的游轮模型面对近在咫尺的半球形环绕立体声的立体银幕，使你无法怀疑自己的现实处境。

"未来世界"还不可或缺地为游客们营造了最具情调的餐饮空间，星罗棋布地分设在各个风景和建筑厅的缝隙中。来自世界各地的烹调大师们将在此奉献绝艺。餐厅按功能分为情人酒吧、合家欢聚餐室、热带海岛边自助海味餐厅、模拟篝火旁的野外烧烤厅等等。其中最大的一个餐厅是可容纳 500 人同时就餐的太空遨游餐饮厅。一进入这个厅，就像一步踏入了宇宙，不断变幻着的全息立体激光影像充塞了除地面以外的所有球形墙壁及顶棚。不断运动着的立体感受，使每一位就餐者，像是置身在太空船上正遨游在太空。厅内的光源仅有两样，宇宙中的星光及餐桌上的烛台。也许你刚咬下一口蛋糕，就有一颗流星从你身边闪过，迅疾消失在无尽的宇宙中，突然出现的巨大的火星，会使你忘了喝已端到嘴边的可乐。

....

"未来世界"的整体风格设计，就是要把地球表面所有美好的、最富情调的东西浓缩进这个地球的心脏中去。

设计方案确定下来以后，紧张的建筑招标工作又鸣响了开场锣。全世界1000多家名牌建筑公司激烈地角逐着 200 项施工、建筑、装潢、安装等纷繁复杂的承包项目。

征地工作已圆满结束，"未来世界"将在紧傍亚运村以北的立水桥地界落成，施工期限大约两年。由于全世界所有的先进技术力量都参与了这项庞大工程的营建，所以建设速度应当是惊人的。

"未来世界"计划使盛世地产投资服务股份有限公司一时间名噪全世界，使其一下跻身于世界十大股份有限公司之列。肖潮龙成为当年美国《福布斯》杂志评选的世界十大风云人物之一。他的照片登在了美国《TIME》周刊的封面上。

新年将临的时候，"未来世界"的筹建工作已全部圆满结束，只等来年元旦一过，立即开工。

除夕这天晚上，潮龙自外返回辉煌大厦。在走到电梯外过道口的时候，他眼睛的余光中，忽然显现出一个熟悉的脸影。

"是李殊！"他急忙侧脸向那张脸望去。那女性的头部烫着他熟悉的过肩长发，蓬松波浪。此时她正侧脸对着他，身高、体量绝对没错。潮龙的心一下提到了嗓子眼。

"李……"他刚叫出一个姓来，那女郎也已注意到了潮龙那灼人的目光，转过脸来回望着他。

"不是李殊。"潮龙心里沮丧地哀叹了一声。但她实在与李殊太相像了，只是她的眼睛比李殊稍显细长，嘴唇也不及李殊那么轮廓分明。但潮龙的目光还是呆滞了，他已有五年没有李殊的消息了，更何谈见到那张熟悉的脸。

潮龙一下又感到了和平街北口那夜，那揪扯柔肠般的失落。这么多年来，他再也没有感受过那令他心灵欲碎的情爱与关怀。每当他缅怀那感受的时候，他总是把李殊赴港前的那封信反复捧读，那信已被不知多少次的泪水浸泡得字迹都有些模糊了。还有那把钥匙，他从来未使用过它。但只要一见到它，就会回忆起许多汇园公寓中美好的镜头。那个 BP 机，他一直佩在身边，尽管已有许久，没人用它呼叫他了，因为此时，他已拥有了大哥大。他忽然想起了蟾宫，自他与李殊那次一别，他再也没有踏进那里，虽然他早已消除了对它的消费恐惧，但是他仍不敢去那儿，因为那里记录了他们在一起时太多太多的温馨和挚情撞击。他害怕独坐在那里伤怀。但此时，这个宁静的除夕夜，他忽然产生了一种冲动，要去蟾宫坐坐。

潮龙怀着朝圣的心情来到了蟾宫。

他只叫了两样饮料——卡布奇诺咖啡和柠檬茶，他取下那个 BP 机，放在那杯柠檬茶旁，然后久久地凝视着它出神。幻觉中，他好像又见到了李殊坐在对面。她那一笑一颦，都是那么清晰地浮现在那幽暗的空间里，他又听到了李殊临别那夜，发自肺腑的那句话："我真是很感激你，潮龙，你重塑了我的灵魂。"而这崭新的灵魂，此时又在思索什么呢？

"当，当……"他听到不远处电报大楼敲响了新年的钟声，新生活又开始了……

"嘟……"突然，柠檬茶旁的那个 BP 机，像个小坦克似的奔突了起来。潮龙猛地一惊，这时，会有谁想到用它呼叫他呢？

他按下显示键，借着烛光，发现是一条复台信息。

他用桌上的大哥大，拨通了寻呼台。

"您好，小姐，168 复台。"

"您有密码吗？噢，先生，刚才是一个来自美国的长途，一位叫李殊的女士，祝您新年快乐，事业发达。您听明白了吗？"

"听、明、白、了。"

潮龙将那杯柠檬茶端过来，一饮而尽，两行热泪夺眶而出！

完

起稿于 1993 年 2 月 8 日

完稿于 1993 年 3 月 21 日，25 岁生辰前两日

修订于 2017 年 4 月 10 日

图书在版编目（ＣＩＰ）数据

款爷 / 唐文杰著 . -- 武汉：长江文艺出版社，
2017.6

ISBN 978-7-5354-9608-9

I. ①款…II. ①唐… III. ①长篇小说 - 中国 - 当代
IV. ① I247.5

中国版本图书馆 CIP 数据核字（2017）第 079791 号

款爷

唐文杰 著

选题产品策划生产机构｜北京长江新世纪文化传媒有限公司

选题策划｜金丽红　黎 波　安波舜

责任编辑｜张 维　装帧设计｜杨愈恺　媒体运营｜刘 峥

助理编辑｜杨 硕　内文制作｜杨愈恺　责任印制｜张志杰

法律顾问｜张艳萍

总发行｜北京长江新世纪文化传媒有限公司

电 话｜010-58678881　　　　传真｜010-58677346

地 址｜北京市朝阳区曙光西里甲 6 号时间国际大厦 A 座 1905 室　　　邮 编｜100028

出 版｜长江出版传媒　长江文艺出版社

地 址｜湖北省武汉市雄楚大街 268 号湖北出版文化城 B 座 9-11 楼　　　邮 编｜430070

印 刷｜大厂回族自治县彩虹印刷有限公司

开 本｜710 毫米 ×1000 毫米　1/16　　　印 张｜14.25

版 次｜2017 年 6 月第 1 版　　　　印 次｜2017 年 6 月第 1 次印刷

字 数｜194 千字

定 价｜39.80 元

盗版必究（举报电话：010-58678881）

（图书如出现印装质量问题，请与选题产品策划生产机构联系调换）